LE DOSSIER OLYMPIQUE

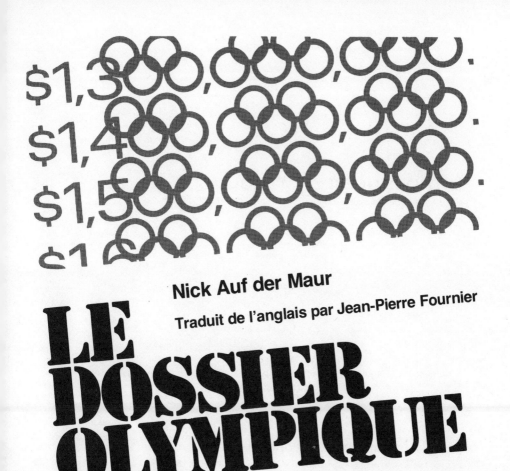

Nick Auf der Maur

Traduit de l'anglais par Jean-Pierre Fournier

LE DOSSIER OLYMPIQUE

Le récit d'une combine milliardaire dans
laquelle ont trempé des douzaines de politiciens,
d'entrepreneurs et de chevaliers d'industrie.
Estimé à $124 millions à l'origine, le coût des Jeux
a plus que décuplé. La Voie Maritime du Saint-
Laurent aura coûté moins cher en dollars courants.
Pour la même somme, on aurait pu loger 40 000
familles, offrir la gratuité des transports publics
pendant 10 ans ou bâtir 400 arénas à travers le
Québec.

ÉDITIONS QUÉBEC|AMÉRIQUE

ÉDITIONS QUÉBEC-AMÉRIQUE

450 est, rue Sherbrooke, suite 801, Montréal, H2L 1J8 / (514) 288-2371

UN LIVRE DE LAST POST

PUBLIÉ EN ANGLAIS PAR JAMES LORIMER & COMPANY, PUBLISHERS,
SOUS LE TITRE: THE BILLION-DOLLAR GAME

DÉPÔT LÉGAL: BIBLIOTHÈQUE NATIONALE DU QUÉBEC, 2e TRIMESTRE, 1976
ISBN 0-88552-012-2

CONCEPTION GRAPHIQUE: GILLES GUILBAULT

Sommaire

Note de l'auteur

Ce livre ne prétend pas faire toute la lumière sur l'affaire qui s'est tramée à l'abri des formes les plus élémentaires d'examen collectif. Mon propos n'est que d'amorcer l'explication de ce phénomène par lequel une entreprise modeste est soudain devenue l'un des projets les plus ambitieux et les plus coûteux de l'histoire du Canada. J'espère aussi contribuer à susciter une enquête qui nous permettra enfin de savoir ce qui s'est passé en coulisse et qui a profité de ce gigantesque gaspillage de fonds publics.

Les lecteurs me permettront de remercier tous ceux qui ont rendu ce livre possible et de rendre hommage au travail de quelques journalistes de Montréal, notamment Guy Pinard, de *La Presse*, Josh Freed, du *Star*, Doug Gilbert, de *La Gazette*, Brian McKenna, de *Radio-Canada*, et Marc Raboy, pigiste, qui se sont donné la peine de renseigner le public tandis que nos gouvernants faillissaient à leur devoir.

Cette histoire n'aurait pu être écrite sans l'indulgence des conseillers du Rassemblement des citoyens de Montréal, en particulier de mes collègues du quartier Côte-des-Neiges, Bob Keaton et Yves Normandin. J'ai aussi été encouragé par l'exemple de citoyens de Montréal, comme Dora Rochlin, Jacques Carignan, Dida Berku, Joanne Burgess et tous les autres qui ont foi en Montréal, l'aiment et veulent en faire une ville où il fait bon vivre et travailler. Je veux enfin remercier deux amis fidèles: Bob Chodos, ex-Montréalais et directeur des Éditions Last Post, dont la collaboration discrète me fut indispensable, et Jean-Pierre Fournier, qui a assuré avec diligence la traduction française du livre.

Nick Auf der Maur.

CHAPITRE 1

Le sauveur des Jeux

> « *Ce n'est pas en construisant une salle parois-*
> *siale que nous pourrons répondre aux rêves, aux*
> *besoins et aux attentes d'un million de gens... ni*
> *en mesurant les projets avec une règle d'un pied.* »

Jean Drapeau, 1974.

S'il faut en croire le maire Jean Drapeau, c'est par hasard que Montréal s'est engagée dans l'aventure olympique à l'été 1963. Le maire était allé à Lausanne afin de consulter les plans de l'exposition nationale suisse, l'Expo 64.

Profitant du retrait de Moscou à la onzième heure, Montréal avait été désignée l'année précédente pour recevoir l'exposition universelle de 1967. M. Drapeau était à Lausanne en quête d'idées et il en a rapporté celle de baptiser l'exposition de Montréal Expo 67.

Le maire avait rendez-vous ce matin-là avec le syndic (maire) de Lausanne et s'y fit conduire en taxi. Arrivé devant l'immeuble, il lut par deux fois l'écriteau sur la porte et vérifia derechef l'adresse qu'on lui avait donnée pour s'assurer qu'il ne s'était pas trompé. Il était au bon endroit, mais l'écriteau était au nom du Comité international olympique.

Il entra. Le syndic logeait effectivement au siège du Comité international olympique. Ayant une demi-heure à perdre avant son rendez-vous, le maire décida de visiter les locaux du Comité, en particulier le musée qui retrace l'histoire des Jeux depuis l'Antiquité jusqu'aux Temps modernes. Il fût fasciné par la section consacrée au baron Pierre de Coubertin, le fondateur des Jeux modernes, qu'il devait plus tard reconnaître comme l'une de ses idoles au même titre que Henri Dunant, fondateur de la Croix-Rouge.

Le maire rentra à Montréal fort satisfait de son voyage. Il rapportait de Suisse quelques bonnes idées, notamment celle de transporter les visiteurs de l'Expo par mini-rail. Mais surtout, il avait découvert les Olympiques. Jusque-là, il ne s'y était jamais intéressé et il reconnaît volontiers qu'il était analphabète en matière de sports.

À l'hôtel de ville à l'époque, on était submergé par les préparatifs de l'Expo 67. À cause du retrait tardif de Moscou, Montréal devait faire vite et on lui concédait peu de chances de relever le défi. L'Expo aurait sans doute lieu, pensait-on, mais sans panache.

Le maire Drapeau convoqua à son bureau le vice-président du Comité exécutif, M. Gerry Snyder, pour lui faire part de son nouvel intérêt. M. Snyder, propriétaire d'une petite boutique d'articles de sports dans le quartier Snowdon, était amateur de sports et le maire le considérait comme un spécialiste. C'est lui qu'il avait dépêché, en compagnie du président de l'exécutif, M. Lucien Saulnier, auprès du commissaire au baseball, M. Ford Frick, en 1961 pour solliciter une franchise des ligues majeures. « Construisez un stade et nous verrons » avait répondu le commissaire à M. Snyder.

Le maire raconta à M. Snyder sa visite au siège du Comité olympique. Il avait potassé la petite histoire des Jeux dans l'intervalle et pensait qu'ils feraient un prolongement de choix à l'Expo 67. M. Snyder acquiesça et dit qu'à sa connaissance, la ville devait obtenir l'appui du Comité national olympique avant de poser sa candidature.

Après avoir mis M. Saulnier au courant du projet, M. Snyder pressentit le délégué canadien au Comité international olympique, M. Sydney Dawes, l'un de nos patriarches du sport amateur qui devenait hélas un peu gâteux. Il ne fut pas d'un grand secours et il apparut que, si les autorités de Montréal convoitaient sérieusement les Jeux, il leur faudrait se charger seules de toutes les démarches.

Bien qu'absorbé par les préparatifs de l'Expo et travaillant, selon son habitude, dix-huit heures par jour (dévouement dont se piquent bien des politiciens et des hauts fonctionnaires sans jamais l'exercer vraiment), le maire Drapeau ne renonça pas au projet. M. Snyder multiplia ses démarches et, à la fin de 1965, gagna l'adhésion de l'Association olympique canadienne à la candidature de Montréal en vue des Jeux de 1972, qui devaient être attribués à la rencontre du C.I.O. en avril. Les Jeux de 1968 avaient déjà été adjugés à la ville de Mexico.

Comme ils disposaient d'assez peu de temps, le maire et M. Snyder mirent les bouchées doubles. Avant la réunion qui devait avoir lieu à Rome, ils entreprirent une tournée éclair de l'Europe pour y rencontrer des délégués du C.I.O. et tenter de les amadouer. En dix-sept jours, ils visitèrent dix-neuf pays. Ils s'envolèrent ensuite pour l'Amérique du Sud où ils parvinrent à toucher cinq ou six délégués en une semaine.

À Rome cependant, ils se heurtèrent à des rivaux de taille: Munich, Madrid et Détroit étaient sur les rangs. La candidature de Montréal était aussi gênée par le fait que Vancouver était en lice avec la ville de Sapporo, au Japon, pour la présentation des Jeux d'hiver. Une règle non écrite interdit de présenter les Jeux d'hiver et d'été dans le même pays la même année. Plutôt que de discréditer la candidature de Vancouver, le maire Drapeau soutint que le Canada était si vaste qu'on pouvait faire exception à la règle.

Le Comité international olympique est un club sélect exhalant une odeur d'aristocratie et de vieille noblesse. En 1966, les rois du sport amateur étaient littéralement des rois comme Constantin de Grèce, qui était membre du Comité. Pratiquement rien n'a changé depuis. Les membres actuels sont tout à fait dans la lignée du baron de Coubertin: le comte de Beaumont, Lord Killanin, un prince nippon...

Il y a, bien entendu, les délégués du camp socialiste,

mais ils votent toujours en bloc et ne sont guère sensibles au charme et à la diplomatie. C'était donc à ces derniers rejetons de l'ancienne noblesse européenne que le maire devait s'adresser et vendre son projet.

M. Drapeau s'était déjà taillé une réputation de propagandiste extraordinaire. Il parla avec conviction de l'aptitude de Montréal à présenter les Jeux Olympiques, mais plusieurs délégués avaient eu vent des difficultés de Montréal à mettre en train les préparatifs de l'Expo 67 et ne dissimulèrent pas leurs inquiétudes.

De toute évidence, le maire Drapeau en avait encore à apprendre sur la manière de traiter avec les gentilshommes du Comité olympique. Il dépassa les bornes de la convenance et donna l'impression de vouloir les soudoyer en promettant de défrayer le logement, la pension, voire le transport des athlètes.

Mais à la fin, c'est une tradition qui eut raison de la candidature de Montréal. Le Comité avait toujours fait alterner les Jeux entre l'Europe et l'étranger et ce devait être au tour de Munich de les présenter en 1972.

Avant même que Munich n'entame les préparatifs des Jeux de 1972, les autorités de Montréal braquèrent leur objectif sur ceux de 1976. Au cours des prochaines années, elles menèrent l'une des campagnes les plus énergiques et les plus habiles de toute l'histoire olympique. Rien ne fut laissé au hasard.

Le maire et son entourage ne reculèrent devant aucune astuce pour appâter, enjôler et séduire les membres du Comité olympique. Ils en convièrent plus de la moitié à l'Expo 67 l'année suivante et les reçurent en grande pompe.

Ils s'enquirent de leurs opinions sur les Jeux et sur la forme qu'ils devaient prendre et recueillirent force notes.

De ces notes et de ces conversations, le maire (qui avait pris l'habitude de lire tout ce qui avait rapport de près ou de loin aux Olympiques) et son personnel dégagèrent leur stratégie.

Le triumvirat olympique montréalais se composait du maire, de M. Snyder — en qui le maire plaçait toute sa confiance parce qu'il savait distinguer une balle de baseball d'un ballon de football — et de M. Pierre Charbonneau, agent d'assurances et président de l'Association d'athlétisme du Québec, qui avait été invité à collaborer au projet.

Ces trois hommes prenaient toutes les décisions, en s'appuyant sur le groupe plutôt dépareillé qui constituait le cabinet du maire Drapeau.

Il y avait d'abord le chef du cabinet, M. Charles Roy. Petit homme mal bâti dans la soixantaine, Charles Roy avait une formation légale et avait été stagiaire chez M. Louis St-Laurent avant de devenir journaliste. Il avait quitté *La Presse* en 1954 pour se joindre à M. Drapeau et demeura son grand confident jusqu'à sa mort en 1975.

Venait ensuite François Zalloni, aussi un ancien journaliste. Né à Istambul, il avait été chauffeur de taxi, vendeur de pianos, guide au Musée de cire et comédien avant d'entrer au service du journal *Le Devoir*. Au début des années 50, il avait couvert la célèbre enquête sur la moralité au cours de laquelle il avait fait la connaissance du procureur de la Commission, Me Jean Drapeau.

M. Paul Leduc, qui portait officiellement le titre de secrétaire aux rendez-vous (personne en réalité n'avait d'affectation précise), était le seul ayant véritablement l'allure et le comportement d'un auxiliaire politique. Ancien journaliste lui aussi, il avait quitté le *Montreal Star* pour se joindre au bureau du maire en 1961. Aimable et sans prétention, Leduc, qui devait plus tard tomber en disgrâce et être muté au service du tourisme, était un modèle d'efficacité et de discrétion.

M. Louis Chantigny provenait aussi des rangs du journalisme. Il avait été rédacteur sportif à *La Patrie*, qui fut un temps l'un des hebdos les plus populaires du Québec. Chantigny était mêlé depuis longtemps au sport amateur et il avait fait partie de la grande famille des « bleus » à l'époque où M. Daniel Johnson était premier ministre.

L'un des hommes clés devait être M. Jean Dupire, officiellement conseiller culturel et chargé d'accueil. Né à Québec, Dupire avait eu une carrière aventureuse. Il avait fait partie notamment de la famille Trapp, le célèbre chœur autrichien qui avait échappé aux nazis et dont l'histoire a inspiré la comédie musicale et le film *The Sound of Music*. Dupire s'était produit avec les Trapp au Théâtre des Champs-Élysées à Paris et avait épousé la fille cadette du baron von Trapp, Martina, morte en couches.

Dupire avait suivi un cours au Jardin botanique de Montréal de manière à pouvoir s'occuper de la ferme des Trapp au Vermont, où la famille s'était établie après avoir fui l'Autriche. Plus tard, il était revenu à Montréal afin de travailler au service des parcs et il avait finalement été nommé directeur des projets spéciaux au bureau du maire.

Avec ce personnel hétéroclite, le maire Drapeau se lança à la conquête du Comité olympique et travailla sans relâche afin d'amener les Jeux à Montréal.

Montréal devait commencer par obtenir encore une fois l'appui de l'Association olympique canadienne. C'était un peu plus délicat que la première fois parce que Toronto et Hamilton, aiguillonnées par son exemple, avaient décidé d'entrer elles aussi dans la course. Toronto commença par dénigrer Hamilton, puis demanda à Montréal de retirer sa candidature sous prétexte qu'elle avait déjà eu l'Expo.

Montréal fit mine d'ignorer les deux villes ontariennes. Comme plus de la moitié des délégués votants de l'Association olympique venaient de la région de Montréal, on ne s'inquiétait pas trop des résultats.

Puisque c'était le maire de la ville candidate qui devait éventuellement plaider sa cause devant le Comité international olympique, Montréal fit porter toute sa campagne auprès de l'Association canadienne sur la personnalité du maire Drapeau.

« Drapeau me renverse, dit Al Decarie, l'un des membres du bureau de l'Association canadienne à l'époque. Il ne cesse pas de m'émerveiller. Il n'est pas comme le maire Dennison (de Toronto) qui laisse les hippies à pendants d'oreille s'asseoir dans son fauteuil devant les caméras de la télévision. Drapeau, lui, les aurait flanqués à la porte. Voilà ce qu'il aurait fait! »

L'Association olympique canadienne n'allait pas risquer de se couvrir de honte en donnant sa bénédiction à un homme comme William Dennison. Montréal obtint donc le feu vert.

Le C.I.O. devait désigner l'hôtesse des Jeux de 1976 à sa réunion d'Amsterdam en 1970. Au cours des trois années qui précédèrent cette réunion, le maire et ses lieutenants — particulièrement MM. Snyder, Charbonneau, Dupire et Chantigny — parcoururent le monde, plaidant la cause de Montréal. Panama, Mexico, Munich, Athènes, Le Caire, Karachi, Nouvelle-Delhi, Hong-kong, Séoul, Tokyo, Manille, Djakarta, Sydney, Los Angeles, Montevideo, Santiago, Guayaquil, Buenos Aires, Lausanne... ils se retrouvèrent partout où le C.I.O. se réunissait et où ils étaient susceptibles de rencontrer un délégué.

Ce fut au point que Los Angeles, l'une des rivales de Montréal pour les Jeux de 1976, en vint à se poser des questions. Le maire Sam Yorty se plaignit de devoir rendre compte de chaque dollar qu'il dépensait pour mousser la candidature de sa ville tandis que Montréal n'était apparemment gênée par aucune restriction.

Le maire Drapeau et son entourage n'omirent jamais un détail et ne laissèrent rien au hasard. Un délégué du C.I.O. devait-il s'absenter d'une réunion ou sa femme était-elle malade qu'ils recevaient illico une boîte de chocolats ou un bouquet de fleurs, gracieuseté de Montréal et de son maire.

Au début de 1970, la campagne devint furibonde. Outre Montréal et Los Angeles, Moscou était dans la course et, avec les douze voix du bloc socialiste en poche, semblait favorite.

La position de Montréal se compliquait du fait que Vancouver sollicitait encore une fois les Jeux d'hiver. Aucun pays depuis l'Allemagne de 1936 n'avait reçu à la fois les Jeux d'été et d'hiver et Vancouver s'acharnait à saper la candidature de Montréal en insinuant que la métropole était en mauvaise posture financière.

À la veille d'un important meeting à Panama, le maire Drapeau acquit la conviction que les émissaires de Vancouver s'employaient à saboter ses efforts. Montréal, se plaignit-il, était la cible de calomnies qui affaiblissaient sa position.

Moscou avait aussi dispersé à travers le monde une armée

d'agents et de personnalités sportives pour vanter les mérites de l'Union soviétique, premier pays socialiste à solliciter les Jeux. Moscou voulait désespérément présenter les Jeux et était confiante de l'emporter.

Montréal exploita à son avantage le fait que Moscou avait été désignée pour recevoir l'exposition universelle de 1967 et avait fait faux bond à la dernière minute, laissant Montréal ramasser l'affaire à la petite cuiller.

Le maire Yorty, de Los Angeles, personnage pittoresque mais sans raffinement, misait beaucoup sur le bicentennaire de la Révolution américaine pour gagner la faveur du Comité olympique.

Les Jeux modernes, comme chacun sait maintenant, sont toute une affaire. Il en est beaucoup qui s'en méfient sous prétexte qu'ils sont une source d'ennuis, voire de banque-route, mais les villes et leur administration les recherchent en général parce qu'elles y voient l'occasion de se faire du capital et d'injecter des sommes massives dans l'économie.

Des considérations supplémentaires s'attachaient aux Jeux de 1976. Le chancelier ouest-allemand, M. Willie Brandt, tentait d'amener les délégués européens à favoriser Moscou en vue d'encourager la détente: les relations Est-Ouest, pensait-il, ne pouvaient que bénéficier du passage à Moscou de milliers de visiteurs occidentaux. Le président du Comité olympique, M. Avery Brundage, inclinait en faveur de Moscou plus ou moins pour les mêmes raisons.

Mais le maire Drapeau et ses associés avaient bien travaillé.

Le principal agent européen de la ville de Montréal était un certain Georges Marchais, éminent homme d'affaires français qu'il ne faut pas confondre avec le Georges Marchais aujourd'hui secrétaire général du Parti communiste français. L'un est en réalité l'antithèse de l'autre. Le premier Marchais, qui a pignon sur rue dans l'immeuble des Rothschild à Paris, était depuis longtemps l'agent officieux de Montréal en Europe.

En 1962, quand Moscou avait décidé de renoncer à l'exposition universelle, c'est Marchais qui avait fait la liaison entre

Montréal et le Bureau international des expositions. « Si un jour on écrit l'histoire des tractations qui ont amené l'Expo à Montréal, dit un haut fonctionnaire de la ville à l'époque, on verra qu'une grande part du crédit revient à Georges Marchais. »

Interrogé une fois sur la nature des rapports entre Marchais et la ville de Montréal, le maire Drapeau dit qu'il travaillait pour la ville à titre gratuit « en guise de reconnaissance pour les nombreux contrats qu'il obtenait du Québec ».

Quand Montréal décida après des années d'hésitation de se lancer dans la construction d'un métro, Marchais joua encore une fois un rôle clé. Le maire Drapeau opta pour un métro modelé sur celui de Paris et les plans furent confiés à des ingénieurs et à des experts français.

« Le maire a toujours affectionné tout ce qui est français », dit un de ses collaborateurs et Marchais, que M. Drapeau donne pour un ami personnel, est sa caution à cet égard.

Marchais agit donc comme intermédiaire dans presque toutes les démarches européennes du maire en vue d'obtenir les Jeux. Capable d'ouvrir toutes les portes des ministères et même de l'Élysée, il frayait le chemin et organisait tous les rendez-vous. C'est même lui qui choisissait les vins et les apéritifs pour les réceptions offertes par la ville aux chefs d'État et aux autres visiteurs de marque au restaurant Hélène-de-Champlain sur l'île Sainte-Hélène.

Marchais, qui portait des cartes d'affaires le désignant comme « conseiller et chef de mission de Montréal en Europe » parvint à aligner la délégation française solidement derrière Montréal, lui donnant ainsi un avantage marqué sur Moscou auprès des délégués africains.

Grâce aux entrées que lui ménageait l'industriel français, M. Drapeau rencontra M. Albin Chalandon, ministre des Travaux publics dans le cabinet du premier ministre Jacques Chaban-Delmas. (Le ministère de M. Chalandon était impliqué dans un mini-scandale à l'époque à cause de l'usage prodigue qu'il faisait des fonds publics pour rénover les maisons de gaullistes influents en les désignant monuments nationaux.)

M. Chalandon était un bon ami de M. Roger Taillibert, l'architecte parisien qui fut éventuellement choisi pour tracer les plans du stade olympique.

Le maire Drapeau entra aussi en contact avec M. Maurice Herzog, qui se révéla un aide précieux puisqu'en plus d'être ministre de la Jeunesse et des Sports, il était délégué de la France au Comité olympique. Le ministère de M. Herzog était l'un des principaux clients de M. Roger Taillibert, grand bâtisseur d'ouvrages sportifs.

Fort du triomphe impressionnant de l'Expo, du travail inlassable de ses agents globe-trotters et de l'appui gaulliste, le maire Drapeau s'amena à la réunion de sélection du 12 mai 1970 en toute quiétude. Lui ou ses collaborateurs avaient rencontré au moins une fois chacun des quelque soixante-dix délégués du C.I.O.

Au cours des six semaines précédentes, chacun des délégués avait reçu chaque semaine une lettre personnelle du maire.

Durant la même période, l'unité de choc du maire avait fait une virée du monde des sports amateurs. Le maire lui-même était descendu à Paris, à Munich (pour une réunion de la Fédération sportive internationale), à Lisbonne, à Madrid, à Bruxelles, au Luxembourg, au Liechtenstein et à Vienne en moins de dix jours. Il avait aussi mis à contribution plusieurs de ses conseillers et les avait envoyés prêcher la bonne nouvelle dans les capitales du monde.

Des fonctionnaires, comme MM. René Belisle et Maurice Gauvin, du service des parcs, et Charles Boileau, directeur du service des travaux publics, avaient été mobilisés pour des missions de moindre importance. Quelques grosses légumes de l'Association olympique canadienne, comme M. Howard Radford, avaient enfin prêté leur concours.

Une semaine avant la réunion, une délégation montréalaise dirigée par M. Pierre Charbonneau s'installa à Amsterdam afin d'y accueillir les délégués avant que les représentants de Moscou et de Los Angeles ne puissent les atteindre. Plusieurs techniciens audio-visuels et six jolies hôtesses parlant au total douze langues faisaient partie de la délégation, qui apportait avec elle un kiosque et vingt tonnes de matériel.

Les enjeux étaient gros. Moscou et l'Union soviétique n'étaient pas tout à fait manchotes en diplomatie internationale. Moscou voulait rattraper son échec de l'exposition universelle et faire des Jeux Olympiques la clé de voûte de projets de construction qui tardaient depuis fort longtemps, notamment en matière d'équipements touristiques. Los Angeles, avec l'appui du State Department, voulait faire des Jeux le clou des fêtes du bicentennaire. En plus d'affronter ces deux rivales redoutables, Montréal devait constamment se défendre contre les rumeurs émanant de Vancouver. La ville, disait-on, était au seuil de la faillite et serait bien en peine d'organiser un festival international de piano, il ne fallait donc pas parler d'Olympiques.

Mais Vancouver, le Kremlin, Sam Yorty et le gouvernement américain ne faisaient pas le poids contre le maire Drapeau. Ses dons étonnants de persuasion finirent par emporter le morceau.

Le maire Drapeau connaissait bien le C.I.O., peut-être mieux que Avery Brundage: avec son humour et son charme envoûtant, le maire établit avec ces hommes de qualité, d'honneur et de fortune des rapports étroits. Il savait de quels vins arroser leurs repas et de quelle musique les entretenir. Il était à l'aise dans ce club de gentlemen où l'austère maire de Moscou et le truculent Sam Yorty avaient l'air de pignoufs.

Chaque maire disposait de quarante minutes pour son boniment. Los Angeles, avec ses vastes stades et son expérience d'hôtesse des Jeux de 1932, et Moscou, avec ses impressionnantes installations athlétiques et la caisse encore plus impressionnante de l'État, avaient nettement l'avantage au départ. Mais le maire Drapeau mit l'accent sur le mouvement et les idéaux olympiques qu'il comprenait bien.

Paradoxalement, c'est dans le domaine des finances qu'il regagna psychologiquement l'avantage. Douze heures avant la réunion, le C.I.O., qui malgré la fortune personnelle de ses membres était en mauvais état financier, demanda à chaque délégation de produire des garanties financières. Les trois candidats se mirent à s'agiter. Quelques coups de fil et Los Angeles obtint la garantie. Moscou parvint aussi au bout d'on ne sait quelle démarche à produire la garantie requise.

Chez les Montréalais, on était perplexe. Le maire Drapeau avait dit au Comité, comme il l'avait répété plusieurs fois à la population de Montréal les mois précédents, que les Jeux ne coûteraient pas un sou aux contribuables canadiens. Mais il n'avait en main rien de concret, ni chiffres ni estimations et certes pas de garantie.

Le maire Drapeau savait les difficultés auxquelles se heurtaient les Jeux modernes, leur coût prohibitif et l'ingérence de la politique et des nationalismes. Il fit donc porter son intervention sur ces sujets brûlants et sur les idéaux humanistes du sport amateur.

Montréal, dit-il, ferait le salut des Jeux. Elle présenterait « des Jeux modestes » qui ne coûteraient pas un sou aux contribuables. Il accompagna son boniment d'une exposition visuelle du projet que Montréal réaliserait, dit-il, pour la modique somme de 124 millions de dollars.

Quant aux garanties financières, dit-il à son auditoire ébaubi, pas question. Montréal n'offrirait aucune garantie. Les membres du Comité se hérissèrent. Moscou et Los Angelès avaient déjà donné leurs garanties.

Non, reprit le maire, Montréal ne s'abaisserait pas à offrir de vulgaires garanties. Son histoire et sa réputation devaient suffire.

Grâce à sa témérité, le maire tira la candidature de Montréal de la fange du commercialisme et du nationalisme pour la projeter dans la sphère éthérée de l'idéalisme olympique. Les membres du Comité étaient émerveillés. Ils étaient, pensaient-ils, en présence de l'homme et de la ville qui allaient sauver les Jeux.

Le maire avait employé la bonne tactique. Son calcul était bon. Quelques délégués se levèrent pour aller lui serrer la main tandis que les autres applaudissaient.

On procéda au premier tour de scrutin. Moscou recueillit 28 voix, Montréal 25 et Los Angeles 17. Le maire, griffonnant nerveusement sur un bout de papier, fit un décompte rapide des suffrages tandis qu'on s'apprêtait à passer au deuxième et dernier tour. Le reste de la délégation montréalaise, bien qu'optimiste, dissimulait mal son angoisse. La délégation de Moscou arborait une assurance tranquille.

Puis, on annonça le résultat final : Montréal 41 voix, Moscou 28.

Tous les yeux se tournèrent vers le maire Drapeau, rayonnant et la bouche fendue d'un large sourire. Tandis qu'il montait de nouveau sur la tribune, on l'acclama chaleureusement.

« À Montréal, entama le maire, les Jeux sont assurés de retrouver une échelle humaine. Ils seront marqués au coin de la noblesse et de la simplicité...

« Les membres du Comité peuvent dormir tranquilles: toutes les installations seront prêtes longtemps avant l'ouverture...

« En évitant les extravagances, il est possible de présenter des Jeux qui feront leurs frais... nous mettrons à profit les leçons du passé... pour trouver moyen de mater ce monstre terrible qui menace le mouvement olympique: le monstre de l'argent. »

À Moscou, le désappointement était grand et la pilule amère. Tass, l'agence de nouvelles soviétique, dit que la décision du Comité était « contraire à la logique et au bon sens ».

À Amsterdam, le maire s'apprêtait à cuver son triomphe. Tôt le lendemain, il se rendit à l'aéroport de Schipol pour y accueillir le maître-queux de la ville, Denis Labbé, qui arrivait de Montréal avec huit cents livres de gourmandises pour le banquet de la victoire. Le menu comprenait du saumon de Gaspé et du foie de morue, des cretons de la Beauce, du homard et la pièce de résistance: des fèves au lard du Québec.

CHAPITRE 2

La naissance d'un maire

« *La vie d'une collectivité ne s'enveloppe pas dans de vieux journaux; les citoyens sont en droit de s'attendre à une certaine pompe et à un certain appa- rat. Il n'y a pas de raison pour que la vie, même pour les pauvres, soit déprimante. Nous avons besoin d'événements comme l'Expo et les Olympiques à cause de la valeur spirituelle qu'ils représentent et qu'ils inspirent.* »

Jean Drapeau, 1970.

L'histoire des Jeux de Montréal est en bonne partie l'his- toire de leur promoteur, le maire Jean Drapeau. Sans son obstination, sa ténacité et son imagination, il n'y aurait pas eu de Jeux de Montréal.

S'il est aujourd'hui très discuté, le maire ne se connaissait à peu près aucun ennemi au sommet de sa carrière, dans les années 60. Les Montréalais ne le comprenaient peut-être pas toujours, mais ce n'est pas sans fierté qu'ils se faisaient dire par les Torontois: « Si seulement nous avions un maire avec autant de cran et d'imagination que Drapeau! »

Personne n'eut plus d'influence sur Joseph Jean Drapeau que sa mère: c'est elle qui choisit ses amis, ses habits, son école et, finalement, sa carrière. Jean voulait être médecin, mais sa mère le pensait trop frêle. Il devint donc avocat. Il hérita de sa mère son amour pour la musique et l'opéra. L'événement le plus important de sa vie, devait-il dire plus tard, fut la mort de sa mère.

Il fit sa première incursion dans la politique au début des années 40 dans la Ligue pour la défense du Canada, mouvement anticonscriptionniste qui s'opposait à ce qu'on engage des Canadiens dans ce qu'on croyait être une guerre entre puissances impériales.

En 1942, âgé de vingt-six ans, il brigua les suffrages dans une élection partielle contre le major-général L.-R. Laflèche, candidat libéral. M. Michel Chartrand qui était alors frais émoulu de la Trappe d'Oka mais déjà activiste fougueux, était l'organisateur de sa campagne et Pierre-Elliot Trudeau, l'un de ses plus ardents partisans. Malgré leur concours, Drapeau subit la défaite dans ce comté d'Outremont où, disait-on, même un cheval pouvait l'emporter pourvu qu'il fût rouge.

Deux ans plus tard, il se présenta de nouveau à l'élection provinciale sous l'étiquette du Bloc populaire, parti nationaliste réformiste dirigé par M. André Laurendeau. Encore une fois, Chartrand, Trudeau et Gérard Pelletier, plus tard secrétaire d'État et aujourd'hui ambassadeur en France, militèrent à ses côtés. Il fut défait de nouveau, mais par une faible marge.

Le jeune Drapeau passait alors pour un orateur enlevant, passionné, qui électrisait les foules. Il lui arriva une fois de tomber d'épuisement durant un discours et il fallut le transporter hors de la tribune.

Il était fortement nationaliste et le reste encore aujourd'hui, mais le ton et le contenu de son nationalisme se sont transformés. Drapeau, Trudeau, Pelletier et Chartrand provenaient du même moule. C'est par la suite qu'ils ont emprunté des voies différentes.

Le nationalisme de Jean Drapeau a évolué en fonction des circonstances qui l'ont porté à la tête de la métropole du Canada. Un maire, fût-ce d'une très grande ville, n'a qu'un cadre limité dans lequel réaliser ses ambitions.

Que Jean Drapeau ait pu dans ces conditions donner une forme concrète à ses aspirations en dit assez long sur ses talents. Jean Drapeau croit qu'une nation a besoin d'exaltation morale, de stimulants qui fouettent son imagination et excitent sa fierté. La nation canadienne-française n'atteindra à la grandeur ou n'assurera sa survivance que si quelqu'un parvient à capter cette imagination et à la mener à son aboutissement.

Chez chaque peuple, dans chaque génération, pense-t-il, il n'y a qu'une poignée d'hommes capables de soulever l'imagination, de percevoir la grandeur et de guider le peuple jusqu'au sommet. Ces hommes qui ont rendez-vous avec le destin sont des bâtisseurs de pyramides. Leurs critiques manquent de largeur de vue, ils sont incapables de comprendre que ces leaders incarnent la soif du peuple pour la grandeur.

Sa conception de la démocratie reflète cette philosophie. « La démocratie, dit-il, n'est pas un système de participation publique. C'est un système où les chefs sont choisis. » Ou encore : « Le peuple élit des gouvernements non pas pour se gouverner, mais pour être gouvernés. »

Comment Jean Drapeau a-t-il été choisi pour diriger et gouverner le peuple?

Dans les années 40 et 50, Montréal était un centre de débauche. Le vice et la corruption y étaient si florissants que durant la guerre, le ministère de la Guerre menaça de l'interdire aux troupes et de ne plus l'utiliser comme centre de transbordement parce que la syphilis et les autres maladies vénériennes décimaient les régiments avant qu'ils ne débarquent en Angleterre.

La pègre prospérait avec la complicité des autorités. Durant l'hiver 1949-1950, **Le Devoir** publia une série d'articles sous la signature d'un ancien directeur adjoint de la police, M. Pacifique (Pax) Plante, exposant l'action de la pègre. Cette série (pour laquelle Gérard Pelletier avait fait le nègre) souleva l'indignation du public et poussa un groupe de citoyens, dirigé par M. J.-Z.-Léon Patenaude, président de la Fédération diocésaine des Ligues du Sacré-Cœur, à former un Comité de moralité publique.

À l'assemblée constituante à l'hôtel Windsor, le jeune Jean Drapeau, qui venait de prendre la défense des ouvriers dans la célèbre grève d'Asbestos, fut invité à expliquer comment de simples citoyens pouvaient forcer la tenue d'une enquête sur la corruption municipale. Il parla avec éloquence du droit et du devoir des citoyens d'engager un mouvement de réforme municipale.

Sous la direction de Drapeau et de Pax Plante, soixante-quatorze Montréalais déposèrent une pétition en cour supérieure réclamant une enquête. Le juge François Caron fut désigné pour présider l'enquête avec l'assistance de Pax Plante.

L'enquête sur la moralité dura trois ans et fit la lumière sur un vaste système de corruption impliquant de hautes personnalités de l'administration et de la police. Au terme de ses travaux, le Comité de moralité publique décida de contester les élections municipales de 1954. Le Comité se mit à la recherche d'un candidat à la mairie, mais tous ceux qu'il approcha se défilèrent. Il se rabattit finalement sur Jean Drapeau qui, bien que fort actif durant l'enquête, n'avait guère été en évidence.

Drapeau prit la tête d'une équipe improvisée sous le nom de Ligue d'action civique, composée en grande partie de membres du Comité de moralité publique. Il entreprit d'abord d'élargir la base du groupe de coalition. Craignant que son passé nationaliste et anticonscriptionniste ne nuise à la L.A.C. parmi la population juive, il sollicita le concours de M. Bernard Mergler, alors membre du parti communiste et plus tard défenseur éminent des libertés civiles (c'est lui qui négocia la libération de James Cross avec ses ravisseurs du F.L.Q.), pour obtenir l'appui de la gauche. Mergler consentit, moyennant certaines conditions comme de révoquer l'ordonnance municipale interdisant la diffusion de tracts, destinée surtout à faire échec au mouvement progressiste et aux syndicats ouvriers.

Drapeau remporta une victoire éclatante. Dans l'affrontement classique entre les forces du bien et du mal que constituait la campagne électorale, il était le champion du bien, de l'honnêteté et de la moralité. Il était si innocent qu'à son arrivée à l'hôtel de ville pour la cérémonie d'assermentation, il dut reconnaître qu'il ne savait pas où se trouvait la salle du conseil.

Il considérait son élection à la mairie comme une très grande marque de confiance et ne trahit pas les engagements qu'il avait pris. Même si le maccarthysme était encore fort répandu en Amérique du Nord, il fit de son mieux pour contenir le zèle que déployait la police anti subversive contre les groupements ouvriers et gauchistes. Il entreprit, d'autre part, une vaste campagne de nettoyage dans l'administration et la police.

Il ne parvint pas tout à fait hélas! à remettre de l'ordre dans le conseil de ville de Montréal. Le système de représentation alors en vigueur à Montréal était un vestige du Moyen Âge. Il y avait trois classes de conseillers, A, B et C, comptant chacune trente-trois membres.

Les conseillers « A » étaient élus par les propriétaires fonciers et les contribuables à la taxe d'eau ou à la taxe d'affaires. La taxe d'eau était minime à l'époque et plusieurs propriétaires la réglaient eux-mêmes, privant inconsciemment leurs locataires du droit de vote. De toute manière, seul le chef de famille était admissible au vote chez les locataires.

Les conseillers de classe « C » étaient encore plus anachroniques. Ils étaient désignés par les associations et les corporations. Le Board of Trade et la Chambre de commerce disposaient d'un siège chacun. Par dérision quelquefois, au cours des débats, on s'adressait à eux en disant « l'honorable conseiller de l'Alcan » ou « l'honorable conseiller de la Bourse de Montréal ». Les universités et les syndicats avaient aussi des représentants. Des hommes comme Louis Laberge, qui se donne aujourd'hui des airs de démocrate comme président de la Fédération du travail du Québec, siégeait alors d'office au conseil de ville.

La Ligue d'action civique arrivait au conseil comme un chien dans un jeu de quilles. La réforme la plus élémentaire, la mesure la plus simple s'embourbaient dans des débats et des querelles sans fin. Les conseillers avaient aussi tendance à lever le coude à l'occasion et il leur arrivait de se prendre littéralement aux cheveux en pleine salle du conseil. Malgré toutes ses bonnes intentions, Drapeau était prisonnier d'un système archaïque conçu pour défendre les intérêts des possédants.

Et le Drapeau de ce temps-là était bien différent de celui d'aujourd'hui. Il était impulsif, prolixe et se prononçait sur tout, depuis le sort des victimes de tremblements de terre en

Amérique Centrale jusqu'à la suspension de Maurice Richard en passant par les trous dans les rues et la moralité.

Mais sa grande erreur fut de s'attaquer à l'homme fort du Québec, le premier ministre Maurice Duplessis. La controverse touchait un projet d'élimination de taudis et de construction d'habitations à loyer modique conçu et mis de l'avant par M. Paul Dozois, membre du Comité exécutif de Montréal et ministre des Affaires municipales dans le cabinet de M. Duplessis.

Drapeau s'opposait au projet sous prétexte qu'il allait enfermer les pauvres dans un ghetto. Il soulevait aussi la question de savoir qui était propriétaire des taudis et qui allait faire un coup d'argent avec le projet. Mais ses objections au projet étaient en réalité d'un autre ordre: il le tenait pour une mesure « communisante » et craignait, en logeant les pauvres ensemble dans des immeubles de dix étages, d'encourager la promiscuité.

Contrairement à son habitude, M. Duplessis s'amena lui-même à l'hôtel de ville pour discuter ses divergences d'opinion avec M. Drapeau. Mais plutôt que de frapper à la porte du maire, il se rendit au bureau de M. Dozois et y fit venir Drapeau et son bras droit, le président du Comité exécutif, M. Pierre DesMarais.

La rencontre fut loin d'être cordiale. « Le plan Dozois ne sera jamais réalisé aussi longtemps que je serai maire », protesta fermement M. Drapeau.

« Dans ce cas, répondit le premier ministre, le problème sera vite réglé. »

Quelques semaines plus tard, Drapeau et la Ligue d'action civique mordaient la poussière dans une élection qui, même à cette époque d'élections truquées, d'achat des consciences, d'intimidation et de violence, était un modèle de corruption. À la mairie, Drapeau fut défait par le sénateur Sarto Fournier, dont on se souvient surtout pour son aptitude à biberonner et à faire la noce. Le plan Dozois se dresse aujourd'hui à proximité de la Place des Arts dans le centre-ville, monument à la bêtise en matière de rénovation urbaine et de logement public.

Durant cet intermède, de 1957 à 1959, Drapeau vécut en semi-réclusion méditant sur les causes de son échec. Il se livra à la lecture de Machiavel, dégagea les leçons de son expérience et arrêta les idées et les principes politiques qui devaient l'animer au cours des quinze prochaines années.

Ce fut une période très fructueuse. Il lui apparut qu'il avait fait erreur en parlant toujours de tout et de rien et résolut qu'à l'avenir, lorsqu'il s'adresserait aux journalistes, il ne déborderait jamais le sujet pour lequel ils étaient convoqués. Il adhéra à cette règle avec l'excès qui le caractérise à bien des égards. Il en vint par exemple, au cours d'une conférence de presse convoquée, disons, pour parler du métro, à refuser de répondre à toute question qui n'était pas directement reliée au sujet même si elle y touchait de loin. Puisque ses conférences de presse se firent de moins en moins nombreuses avec le temps, ses contacts avec les journalistes prirent de plus en plus l'aspect d'une farce et ses communications publiques devinrent de plus en plus guindées.

C'est aussi durant cette période de réflexion qu'il développa ses théories sur le contact avec « la masse », comme il se plaît à appeler ses mandants. Il se convainquit qu'il entretenait un rapport personnel avec la masse, qu'il la connaissait, qu'il comprenait ses aspirations et qu'il était seul à pouvoir les articuler et les incarner. Il imaginait une sorte d'alliance mystique entre le peuple et lui. La presse, l'opposition et tout ce qui risquait d'embrouiller ses rapports devenaient dans son esprit des empêcheurs de tourner en rond.

Le corollaire évident de cette théorie, c'était que tout débat et toute consultation constituaient des pertes de temps. Puisqu'il savait ce que voulait le peuple, à quoi bon en discuter avec des intermédiaires? Les simagrées et les inepties du conseil de ville ne faisaient que confirmer la futilité de la consultation. Il fallait remplacer cette procédure, pensait-il, par une « démocratie disciplinée ».

Le mandat du maire Fournier expira en 1960.

À la fin d'août, le bureau de la Ligue d'action civique se réunit dans un hôtel du centre-ville afin de se préparer à l'élection de l'automne. La Ligue était un groupement bigarré de structures assez lâches.

Dans un livre intitulé **Le Vrai visage de Jean Drapeau,** paru deux ans plus tard, J.-Z.-Léon Patenaude décrivit cette réunion. Drapeau arriva tard, se plaignit d'un mal de tête et s'étendit sur un divan sans dire un mot.

Le bureau de la Ligue décida de recruter des candidats et d'endosser à la mairie la candidature de Jean Drapeau qui, bien qu'identifié publiquement à la L.A.C., n'en faisait pas partie pour des raisons que nul ne connaissait.

Quelque temps plus tard, les dirigeants de la Ligue apprirent par les journaux que Drapeau avait secrètement formé son propre parti, le Parti civique, pour contester l'élection. De dire que la Ligue, et surtout Patenaude et Pierre Des-Marais, son président, considéraient cette démarche comme un coup de poignard dans le dos serait un euphémisme.

Ils furent cependant incapables de l'arrêter. Drapeau et le Parti civique remportèrent l'élection facilement. Dans l'esprit du nouveau maire, sa conception de la démocratie se trouvait ainsi justifiée. Ses anciens alliés de la Ligue d'action civique restèrent en plan. Patenaude en fut si vexé qu'il entreprit d'écrire un livre dans lequel il dénonça Drapeau comme émule de Franco et de Salazar. Le livre, publié en 1962, n'eut apparemment aucun effet sur l'électorat puisque Drapeau et le Parti civique furent réélus cette année-là et de nouveau en 1966, en 1970 et en 1974.

Durant ce règne ininterrompu, Drapeau réussit mieux que nul autre maire en Amérique du Nord à imprimer son style et sa personnalité à sa ville. Il qualifia son séjour précédent à l'hôtel de ville de « période de confusion », disant : « Je déteste la confusion. »

À Montréal désormais, s'il n'en tenait qu'à lui, il n'y aurait plus de confusion, surtout pas sur la personne du patron. Le système de parti, laissant trop de place à la discussion, fut revisé. Le Parti civique se structura davantage sur le modèle d'un club privé que d'un parti politique. L'adhésion était restreinte. Les seuls membres étaient Drapeau, son oncle, J.-H. Brien, investi du poste de trésorier, et les conseillers élus, qui avaient brigué les suffrages à l'invitation personnelle du maire. Les conseillers étaient de petits hommes d'affaires, boutiquiers et agents d'assurances pour la plupart, tous hommes sur lesquels on pouvait compter pour maintenir la discipline de parti et distribuer des trophées aux tournois de hockey de quartier.

Il y avait très peu de professionnels dans le groupe et ceux qui s'y trouvaient n'y étaient pas sans raison. Ainsi, Abraham Cohen, avocat progressiste, était là pour faire du plat à la communauté juive.

Ayant créé un parti à son goût qui le dispensait des bavardages, de la futilité et du chaos des assemblées démocratiques, le maire Drapeau, comme Périclès à Athènes, entreprit de donner à Montréal son âge d'or. Il faut pardonner la phrase un peu ronflante: elle est du cru du maire. En réponse aux critiques suscitées par l'extravagance des préparatifs olympiques, il dit un jour aux membres du Board of Trade de Montréal : « Il y a deux mille cinq cents ans, Périclès fut lui aussi critiqué pour avoir construit l'Acropole plutôt que des navires de guerre. »

L'âge d'or de Montréal, c'est au cours des années 60 qu'il fut atteint. Le maire Drapeau avait de l'allant, de l'imagination et plein d'enthousiasme, mais seulement pour les projets qui lui apparaissaient comme des priorités.

Étant par exemple amateur de musique et d'opéra, il lui vint naturellement à l'idée que la ville avait besoin d'une salle de concert non seulement convenable, mais grandiose. Ainsi naquit le monument splendide de la Place des Arts. Suivit la construction du métro auquel les Montréalais ne croyaient plus pour en avoir entendu parler sur tous les tons par tous les politiciens durant cinquante ans. Le maire encouragea la rénovation du centre-ville, qui eut tout d'abord des effets très bénéfiques. Le cœur de la ville reprit vie et Montréal, après un long sommeil, prit nettement l'avance sur Toronto dans la course aux investissements.

En 1962, le Parti civique fut aisément reporté au pouvoir d'autant que Drapeau, reprenant un thème qu'il avait déjà exploité avec succès deux fois auparavant, réussit à créer l'impression que ses adversaires de la Ligue d'action civique étaient dupes de la mafia. Paradoxalement, il s'opposa avec véhémence une douzaine d'années plus tard à l'institution d'une commission provinciale d'enquête sur le crime organisé. Il protesta qu'il était superflu d'enquêter puisqu'il avait depuis longtemps débarrassé la ville de la canaille. L'enquête eut quand même lieu et démontra que la pègre était encore bien enracinée à Montréal.

L'administration du Parti civique contribua néanmoins largement à assainir la politique municipale et donna en fait à Montréal le premier gouvernement raisonnablement honnête de son histoire. En 1962, Drapeau prit aussi l'initiative de réformer le système de représentation au conseil de ville en abolissant la classe « C ». Le droit de vote restait encore limité aux propriétaires fonciers et aux contribuables, mais pas pour longtemps. En 1970, deux siècles après la plupart des démocraties occidentales, Montréal admit enfin le principe du suffrage universel.

Le génie du maire pour l'improvisation fut abondamment démontré par l'institution de la « taxe volontaire ».

La mesure était sans précédent dans l'histoire du Canada. Les autorités de la ville lancèrent une vaste campagne de publicité engageant tous les Canadiens à contribuer volontairement deux dollars par mois au trésor de Montréal. À la fin de chaque mois, on tirait un nom de la liste des donateurs et la personne avait droit à une remise de taxes de $100 000 en lingots d'argent. Les tribunaux fédéraux mirent plusieurs mois à déterminer que la combine constituait en réalité une loterie illégale. Il y avait bien quelque opposition au conseil de ville à l'époque, mais elle était si démunie qu'elle arrivait à peine à agacer le maire à l'occasion. Le Parti civique était tout-puissant et consolidait même son emprise d'année en année puisque le Montréal de la révolution tranquille avait toutes les apparences d'une métropole en pleine ébullition.

Le choix de Montréal comme hôte de l'Exposition universelle et internationale de 1967 contribua singulièrement à renforcer cette impression. Le maire Drapeau s'inquiétait de ce qu'il appelait « la vocation internationale de Montréal ». Il était résolu à tirer la ville de la fange du provincialisme et à l'élever au rang des grandes métropoles du monde. D'une certaine façon, il y parvint encore une fois.

Les préparatifs de l'Expo se heurtèrent au même genre de difficultés qui devaient accabler plus tard les organisateurs des Jeux Olympiques. Les premiers devis estimatifs durent bien vite être jetés à la poubelle. En 1964, les coûts des préparatifs étaient estimés à 160 millions de dollars. En février 1965, les chiffres étaient révisés et portés à 234 millions de dollars. En août de la même année, ils atteignaient 285 millions de dollars, puis 330 millions de dollars en mars suivant. En décembre 1966, au terme d'une année d'inflation minime, ils gagnaient encore cinquante millions de dollars et grimpèrent à 404 millions de dollars en février 1967. Les coûts (outre les dépenses engagées par chaque exposant pour la construction de son pavillon) s'établirent finalement à 430 millions de dollars.

Les préparatifs de l'Expo étaient suivis avec la même attention et faisaient l'objet des mêmes commentaires que les préparatifs des Jeux Olympiques: les îles artificielles, disait-on, ne seraient jamais prêtes à temps, la ville perdrait la face et ses visiteurs pataugeraient dans la boue. Mais tout fut prêt à temps ou, du moins, tout donna l'impression de l'être. Il apparut clairement quelque temps avant l'ouverture de l'Expo que Habitat 67, le projet d'habitations modulaires en béton précontraint qui devait révolutionner la construction domiciliaire, ne pourrait être terminé dans les délais prévus.

Les bâtisseurs en informèrent le maire à la onzième heure. Il avait la responsabilité d'en faire part à la presse, qui n'attendait qu'une occasion comme celle-là pour crier à la catastrophe. Étant de ceux qui croient qu'il n'existe jamais de problème sans solution, le maire se rebiffa. Il réfléchit un moment, puis déclara avec autorité que Habitat serait prêt à temps. Il fallait le laisser inachevé, faire le ménage du chantier mais sans en retirer l'équipement sous prétexte de montrer comment on s'y était pris pour le construire. Le chantier deviendrait partie de l'Exposition. L'idée était géniale et elle eut un succès bœuf. Les visiteurs furent fascinés par l'originalité des techniques de construction et ne soupçonnèrent jamais que c'était par accident qu'il leur était donné de les voir.

Durant la phase préparatoire de l'Expo, le maire eut amplement l'occasion d'exercer ses talents de négociateur et, avec la montée vertigineuse des coûts, eut tôt fait de passer maître dans l'art d'arracher de l'argent aux gouvernements supérieurs.

À un certain moment, le premier ministre Lester B. Pearson résolut de fermer le robinet et de ne plus céder à aucune demande. Le maire se présenta à son bureau et fit un boucan de tous les diables, comme Ottawa n'en avait pas vu depuis la rébellion de Louis Riel.

Le premier ministre, terrifié, capitula. De toute sa vie, confia-t-il à l'un de ses conseillers, il n'avait jamais été témoin d'une telle colère. « Je ne veux plus jamais revoir cet homme, lui dit-il. S'il revient, donnez-lui tout ce qu'il veut. »

L'Expo, bien entendu, remporta un succès éclatant. Et ce succès ne fut sans doute pas étranger au choix de Montréal comme théâtre des Jeux de 1976. Le monde fut vivement impressionné et le Comité international olympique acquit la conviction que Montréal pourrait organiser des Jeux à nul autre pareil. Le succès de l'Expo eut surtout pour effet d'aiguiser la confiance du maire Drapeau et de ses collaborateurs. En fait, dit Paul-Émile Robert, conseiller du Parti civique écarté en 1974 pour avoir manifesté trop d'indépendance, c'est au succès de l'Expo qu'est attribuable la ruine dont Montréal est aujourd'hui menacée.

« Nous étions au faîte de la gloire, rappelle t il, le succès de l'Expo dépassait l'imagination. Rien, semblait-il, n'était au-dessus de nos forces.

« Nous étions le point de mire du Canada et du monde. Comme il arrive souvent, le succès nous a monté à la tête. Nous avons perdu le sens de la réalité. »

Les partis politiques, aussi bien fédéraux que provinciaux, courtisaient Jean Drapeau : on lui proposait un poste au cabinet, on lui offrait le leadership presque sur un plateau d'argent. L'eût-il voulu, il serait probablement devenu premier ministre. Chaque année, le maire était invité par Ed Sullivan à paraître à sa populaire émission de télévision, honneur que lui enviaient bien d'autres politiciens canadiens. Il faisait partie des grandes ligues et tout lui réussissait. Il entretenait des rapports d'amitié avec des chefs d'État, des rois et des aristocrates, le shah d'Iran et même Ed Sullivan.

« Les Canadiens français sont foncièrement royalistes, dit un jour Drapeau à Patenaude. Ils veulent un roi. » Au sommet de sa carrière, Drapeau ne fut pas loin d'en être un.

En 1966, avec l'inauguration du métro et l'Expo bien en train, le Parti civique remporta une autre victoire écrasante. Pas moins de trente-trois conseillers furent élus par acclamation. Le Parti enleva cinquante et un des cinquante-deux sièges et le maire récolta quatre-vingt-dix pour cent des suffrages.

Sa puissance aux urnes commandait le respect des politiciens fédéraux et provinciaux. Ils étaient toujours très onctueux envers M. Drapeau, d'autant qu'il était toujours possible qu'il quitte un jour le champ de la politique municipale pour s'aventurer dans le leur.

Drapeau ne manifestait toutefois aucun intérêt pour les autres sphères de la politique. Au municipal, il pouvait travailler pratiquement sans entraves et dicter les règles du jeu. Avec son prestige et son influence, il pouvait aisément amener les gouvernements supérieurs à l'aider au besoin dans ses entreprises.

« Après 1966 et l'Expo, dit Paul-Emile Robert, Drapeau et le Parti civique commencèrent véritablement à s'endormir. » Le seul homme capable de traiter avec Drapeau sur un pied d'égalité était Lucien Saulnier, président du Comité exécutif de la ville. Ancien marchand d'habits, Saulnier était réputé bon administrateur.

Drapeau, disait-on souvent à l'époque, concevait les projets et Saulnier les mettait en œuvre. Il leur arrivait inévitablement d'être en désaccord.

C'est Saulnier qui finit par mettre au rancart le projet d'érection d'une tour célébrant l'amitié de Paris et de Montréal à l'occasion de l'Expo 67. Drapeau, dit-on, fut si contrarié qu'il en devint malade.

Saulnier tenta aussi de faire échec à l'extension de l'Expo 67 sous forme d'exposition internationale permanente appelée Terre des Hommes. En 1969, il réussit même à ranger à son avis la majorité des membres du Comité exécutif.

Le maire avait déjà annoncé que l'exposition serait permanente. « Ce qui est bon pour six mois est bon pour tout le temps », avait-il dit. Cette initiative avait plongé les autorités fédérales et provinciales de même que M. Saulnier dans l'embarras. Le premier ministre Daniel Johnson estimait qu'il en coûterait cent cinquante millions pour soutenir l'Exposition durant trois ans et que Québec ne pouvait pas décemment s'offrir ce luxe.

Mais Drapeau, obstiné, passa par-dessus leur tête, portant sa cause directement devant « le peuple » par une série de conférences de presse et de discours.

Interrogé sur la perspective déficitaire de l'entreprise, le maire déclara fièrement : « Rien n'est trop cher quand l'enjeu est d'être Canadien. »

Il menaça de démissionner si on ne se rendait pas à sa volonté. Les autorités municipales, provinciales et fédérales furent inondées de lettres et de télégrammes d'appui au maire. Ébranlé par cette campagne fulgurante, Québec céda et consentit à couvrir la moitié des déficits. Le Comité exécutif ne tarda pas à se rendre à son tour. Terre des Hommes était à pied d'œuvre.

Saulnier avait la tête sur les épaules, mais le maire réussissait souvent à la lui faire perdre. Sa santé finit par en souffrir. Il se laissa finalement aller à une dépression nerveuse dont ses amis tinrent le maire responsable.

Une anecdote que raconte Charles Bronfman, propriétaire des Expos de Montréal, illustre bien les divergences qui pouvaient surgir entre les deux hommes.

À l'époque où Bronfman sollicitait une franchise de baseball, la Ligue nationale de baseball lui répétait sans cesse que la ville devait arrêter les plans de construction d'un stade. Les chances de réalisation d'un tel projet paraissaient alors assez minces.

Bronfman raconte qu'il allait au bureau du maire se faire dire qu'il n'y avait pas de problème, que tout pourrait s'arranger. Encouragé par ces belles paroles, il s'amenait ensuite chez Saulnier qui lui tenait le langage contraire. La ville ne pouvait pas s'offrir un stade, disait-il, c'était sans espoir, il y avait des choses plus pressantes.

« J'étais comme un yo-yo, dit Bronfman. Je ne savais plus où donner de la tête. »

La veille même du jour où les magnats du baseball devaient prendre leur décision, Drapeau et une équipe du service des travaux publics, cherchèrent désespérément une solution de dernière heure au problème du stade. Ils accouchèrent du stade du parc Jarry. Pour moins de cinq millions de dollars, ils firent de ce stade de ligues mineures l'un des amphithéâtres les plus populaires du baseball majeur. Aussi bien les joueurs que les spectateurs s'y trouvent à l'aise, justement parce que le stade est modeste.

Exténué par cette collaboration difficile et ces querelles incessantes, Saulnier quitta bientôt la scène municipale. Drapeau lui donna le coup de Jarnac quand, avec une perfidie machiavélique, il désigna son frère Jacques à la tête de la police. Saulnier se trouvait ainsi accablé de népotisme alors même qu'il s'opposait à la nomination de son frère. Jacques fut éventuellement démis pour incompétence par la Commission de police du Québec après qu'on l'eut accusé d'avoir accepté des pots-de-vin d'un hôtelier et d'entretenir des rapports d'amitié avec des membres de la mafia.

Drapeau devint de plus en plus présomptueux, allant quelquefois jusqu'à gouverner par toquade. Les journaux l'indisposaient, il a donc interdit l'usage de boîtes distributrices de journaux dans les rues. *La Gazette* de Montréal contesta l'affaire devant les tribunaux et obtint gain de cause, mais le maire refusa quand même de révoquer le règlement.

Choqué par les astrologues, il fit adopter un règlement interdisant la pratique de l'astrologie dans les limites de la ville. Un astrologue s'en remit à la cour et gagna, mais le règlement tient toujours.

Les manifestations à Montréal devenaient trop fréquentes et trop agitées au goût du maire, il fit adopter un règlement les proscrivant à moins que les manifestants n'obtiennent un permis de la police. Encore une fois, la cour déclara la mesure *ultra vires* mais les contestataires et les manifestants sont toujours tenus de solliciter l'autorisation de la police. En 1970, sous l'empire de la loi des mesures de guerre, Drapeau devint si méfiant qu'il pria la maison Eaton d'annuler sa traditionnelle parade du Père Noël. Eaton, qui n'attendait qu'un prétexte pour mettre fin à ce cérémonial publicitaire de plus en plus coûteux, eût tôt fait d'accepter. Il n'y a pas eu de parade du Père Noël à Montréal depuis. Drapeau invoqua aussi la loi des mesures de guerre pour faire retirer de l'affiche un film qu'il jugeait obscène, *Quiet Days in Clichy*.

Parce que certains usages déplaisaient à la police dans les bars de Montréal, souvent dominés par la mafia, Drapeau fit adopter un règlement interdisant au personnel des restaurants et des bars de prendre un verre avec un client.

Au moment où les Américains se préparaient à envoyer leur premier homme sur la lune, le maire poursuivit avec acharnement l'une de ses obsessions les plus singulières: il voulait que les cosmonautes plantent sur le sol lunaire non pas le drapeau américain, mais le pavillon de Terre des Hommes. Leur geste aurait ainsi une portée plus humaniste et plus universelle, soutenait-il. Il multiplia les démarches auprès des autorités de la Maison Blanche et de la NASA, pensant sérieusement pouvoir les convaincre des mérites de son idée. Nous ne savons pas comment il fut éconduit par les Américains, mais l'histoire nous enseigne qu'il le fut.

Le maire compte parmi ses idoles le baron Georges Eugène Haussmann, préfet de la Seine sous le Second Empire qui, pour faciliter l'action des forces de police et de l'artillerie contre d'éventuelles barricades, démolit les vieux quartiers parisiens qui constituaient depuis 1789 les principaux foyers révolutionnaires et créa le Paris d'aujourd'hui : jardins, grandes avenues aux tracés rectilignes, somptueuses maisons d'appartements, etc.

Il se prend pour le Haussmann de Montréal, qui encourage l'embellissement de la ville, la démolition de vieux immeubles et la construction de brillants gratte-ciel.

Mais Haussmann, qui avait à son service de grands ingénieurs, disposait d'un plan. M. Drapeau n'a pas de plan ni de grands ingénieurs. Il a permis à des bâtisseurs de fortune de démolir au gré de leur fantaisie et de détruire l'originalité de la ville. Les monuments de valeur qui nous resteront de cette époque se comptent sur les doigts de la main.

Les effets négatifs de la démocratie disciplinée de Jean Drapeau continueront de se faire sentir longtemps après sa disparition.

S'il a réalisé des projets de mérite, il a négligé bien d'autres questions d'égale importance. À cause de sa méfiance à l'égard des institutions démocratiques, des débats et de la participation du public, il a créé un gouvernement distant, inaccessible, qui ne se préoccupe que de sa conception de ce qui est bon pour l'histoire d'abord et le peuple ensuite.

Il a travesti le principe fondamental de l'administration responsable en créant une bureaucratie dans laquelle les directeurs de service sont investis d'un grand pouvoir. Les conseillers, représentants élus du peuple, ont peu de choses à dire et ne sont là que pour la forme. Sous le régime du Parti civique, le conseil de ville a continué d'exister simplement parce que la loi l'exigeait.

Dans une administration normale, le corps législatif s'appuie sur des comités permanents qui traitent de toutes les questions, depuis les finances jusqu'aux travaux publics. Le conseil de ville de Montréal ne dispose que d'un seul comité, le comité exécutif, et de deux sous-comités, le comité de toponymie et le comité d'organisation du tournoi de golf annuel des conseillers. Voilà comment se partage le pouvoir à Montréal. Et encore! la plupart des membres de l'exécutif n'exercent leur fonction qu'à mi-temps.

Les dépenses publiques, la conception des projets et l'estimation de leur coût sont du ressort exclusif d'un ou parfois de deux hommes. Personne d'autre n'a voix au chapitre. Voilà ce qu'est la « démocratie disciplinée » du maire Drapeau.

Une autre illustration de ce concept nous est venue de l'une des affaires personnelles du maire.

À la fin des années 60, le maire décida que, ne pouvant rester maire à vie, il serait sage de s'établir en affaires. Il ouvrit un restaurant qu'il baptisa *Le Vaisseau d'Or*, d'après une œuvre de son poète favori, Emile Nelligan, au sous-sol de l'hôtel Windsor. Pour y divertir la clientèle, il engagea un orchestre de musique classique et des chanteurs d'opéra. Il arrêtait lui-même le programme musical et l'heure de service des repas.

Le maître d'hôtel était chargé de faire observer rigoureusement les règles de la maison, qui prescrivaient le silence durant l'exécution des pièces musicales. Cette façon de faire bombance s'appelait le « dîner discipliné ».

Le restaurant fit faillite, laissant les huissiers, le patron de l'hôtel, le personnel du restaurant et le maire lui-même se chamailler sur la question de savoir qui emporterait l'argenterie.

Le maire ne put rien récupérer et revint à l'hôtel de ville se consacrer à plein temps aux affaires des contribuables et à la planification des Jeux.

CHAPITRE **3**

Pour la gloire de la nation

> « *L'avenir en jugera. Chaque fois qu'un homme essaie de faire quelque chose qui lui survit, il se heurte à des difficultés. À l'époque, je suis sûr que personne ne comprenait la signification du Sphynx, des Pyramides ou de la tour Eiffel.* »

> Jean Drapeau, 1976

Considérant l'énergie et la vigueur que Montréal a déployées pour obtenir les Jeux, il est étonnant que les préparatifs aient démarré si lentement.

Le plan original soumis par Montréal et tracé en grande partie par son service des parcs, fut d'emblée rejeté.

« C'est tout à fait normal, dit Hans Klein, l'un des dirigeants de l'organisation des Jeux de Munich. Nous avons accompagné notre candidature de vieux plans que nous avons rejetés aussitôt après (avoir obtenu les Jeux). »

De fait, toutes les villes qui ont reçu les Jeux ces dernières années ont fait une mise en scène bien différente de celle qu'elles avaient proposée au Comité international olympique.

Pour ménager la victoire d'Amsterdam, on avait travaillé fébrilement. Maintenant qu'elle était acquise, plusieurs des hommes qui y avaient collaboré ne se gênaient pas pour perdre leur temps dans de longues considérations philoso-phiques sur la signification des Jeux pour Montréal et le Québec.

Quelques-uns d'entre eux — Jean Drapeau, Gérard Niding, président du Comité exécutif de Montréal, Paul Desrochers, conseiller spécial et éminence grise du premier ministre Robert Bourassa, Roland Desourdy, patron d'une grande entreprise familiale de construction, et Marc Carrière, homme d'affaires bien connu de Montréal — se rencontraient quelquefois à dîner au Club Canadien, l'un des derniers clubs chics de la rue Sherbrooke. Le secrétaire du club, Albert Saint-Jean, présidait sans façon les agapes.

Le Club Canadien est un cercle d'hommes d'affaires, pour la plupart d'allégeance nationaliste, mais d'un nationalisme de vieille souche axé sur la survivance des traditions cana-diennes-françaises catholiques.

Drapeau a toujours adhéré à ce courant de pensée natio-naliste non séparatiste développé par Henri Bourassa, fonda-teur du journal *Le Devoir*. L'attention de Bourassa avait d'ail-leurs été attirée par Jean Drapeau. « Ce jeune homme ira loin », avait-il dit avant de mourir. La doctrine de Bourassa fut reprise par bien des nationalistes dont le chanoine Lionel Groulx, qui écrivit un jour : « La question n'est pas de savoir si nous serons riches ou pauvres, gros ou petits, mais si nous serons. »

Pour les convives du Club Canadien, être voulait dire être riche et gros à la fois et les Jeux leur offraient une chance en or de « faire quelque chose pour la nation ». Dans leur esprit, les Jeux devaient être grandioses, attiser la fierté de la collectivité, comme l'avait fait l'Expo, et provoquer en même temps des retombées économiques.

Si le spectacle était assez important, croyaient-ils, le Cana-da français serait encore une fois le nombril du monde et les investissements pleuvraient de l'étranger, particulièrement de l'Europe. L'administration Drapeau et celle de Bourassa se sont depuis longtemps donné pour mission d'encourager les inves-tissements européens de manière à contrebalancer la prépon-dérance américaine et anglo-canadienne dans l'économie.

La petite chapelle du Club Canadien prévoyait en outre que le projet avait assez d'envergure pour augmenter le pouvoir économique de la bourgeoisie canadienne-française en lui ménageant des contrats et la possibilité d'amasser des capitaux.

Le maire Drapeau est enfin partisan de la théorie des retombées. Dépensez beaucoup d'argent, pense-t-il, et il en retombera sur la masse.

Il était certain que les Jeux auraient des effets importants sur l'industrie des services et les rentrées touristiques, mais ils avaient d'abord été conçus comme un immense projet de travaux publics.

Dans toutes ces discussions, Drapeau revenait quelquefois avec l'une de ses citations favorites de Saint-Exupéry : « Forcez les hommes à construire une tour ensemble et ils seront frères; jetez-leur du grain et ils se prendront à la gorge. »

Quelquefois, le groupe se déplaçait vers le Yacht Club de Chambly, autre lieu de rendez-vous des puissants et des nantis. Ainsi s'échafaudait progressivement la philosophie de la mise en scène des Jeux 1976.

Au nationalisme du maire et à sa théorie des retombées s'ajoutait son penchant pour le magnifique. Il ne suffisait pas que l'événement soit imposant et coûteux, il fallait encore qu'il satisfasse ses rêves de grandeur. Le stade devait être une source d'inspiration, il devait se projeter vers le ciel et couper le souffle au vulgaire.

Après préparation d'un devis, on consulta apparemment deux éminents architectes québécois qui dirent qu'en raison des délais, du climat (le toit mobile, pensaient-ils, devrait être remplacé tous les quatre à cinq ans) et d'autres considérations, il valait mieux s'en tenir à un plan fonctionnel et utilitaire.

Selon sa version officielle, le maire procéda au choix de l'architecte des Jeux de la façon suivante :

Il établit d'abord un comité du service des travaux publics afin d'examiner divers modèles de stade en Amérique et en Europe.

Le comité se composait du chef du service, M. Charles Boileau, de l'architecte en chef de la ville, M. André Daoust, et de M. Claude Phaneuf, jeune ingénieur qui avait dirigé les travaux de construction du stade du parc Jarry, home des

Expos de Montréal. (Âgé de trente ans, Phaneuf n'était guère important dans la hiérarchie du service des travaux publics. Avant d'être affecté au parc Jarry, il n'avait fait que des travaux de cuisine, comme de surveiller le remplissage des trous dans les rues. Mais il était l'un des protégés du maire.)

Toujours selon la version officielle, le comité visita divers équipements sportifs aux États-Unis, à la recherche d'un stade capable de recevoir le baseball et le football en même temps que d'accueillir les Jeux Olympiques. Ils n'en trouvèrent pas en Amérique. Les stades des États-Unis étaient trop conventionnels, selon le maire.

Le comité tourna donc les yeux vers le stade en chantier à Munich et les équipements européens. Le stade de Munich n'était pas sans intérêt, mais le fin du fin paraissait être le Parc des Princes à Paris, où on expérimentait de nouveaux procédés de construction.

Devant le comité de l'Assemblée nationale sur les Jeux, en janvier 1975, le maire dit comment il arrêta finalement son choix :

« Au cours d'un voyage en Europe, je suis passé par Paris. J'ai donné un coup de fil au ministère des Sports où je connaissais quelqu'un. J'ai demandé des renseignements sur le stade du Parc des Princes et ceux qu'on m'a donnés m'ont semblé très intéressants. On a offert de m'organiser un rendez-vous avec M. Roger Taillibert et j'ai accepté sur-le-champ. Nous sommes allés le voir... En matière d'architecture, je ne me pique évidemment pas d'être expert, mais nous connaissons tous le dicton : point n'est besoin d'être poule et de pondre un œuf pour savoir s'ils sont mauvais et point n'est besoin de cultiver des roses pour savoir si elles sentent bon.

« Bien que profane, je me suis vite rendu compte que je n'avais jamais rien vu de tel auparavant... et j'avais des tas de modèles de stades américains et européens. J'en ai visité beaucoup au cours de mes voyages en quête des Jeux Olympiques. J'ai tout de suite vu que celui-là était hors de l'ordinaire, ce que de grands ingénieurs m'ont ensuite confirmé... nous avons été séduits par les possibilités qu'il offrait... nous avons été séduits. »

Ça, c'est la version officielle. La vérité, c'est qu'on n'avait d'abord vu que deux stades, celui de Munich et celui du Parc des Princes, qui était encore en chantier et dont le coût estimé à $9 millions à l'origine devait s'élever à $25 millions. Les visites aux États-Unis suivirent l'entrée en scène de Taillibert et tendaient principalement à trouver un moyen de loger sous un même toit le football et le baseball, ce qui ne s'est encore jamais fait de façon satisfaisante.

Les références chronologiques de la version officielle sont plutôt vagues. La formation du comité et les démarches en vue de la sélection de l'architecte du stade, d'autre part, furent entourées du plus grand secret.

Le colonel Marceau Crespin, directeur du Bureau français des sports et de l'éducation physique, contredit la version du maire.

« Monsieur Taillibert, a-t-il révélé au *Sunday Times*, de Londres, a collaboré à deux ou trois projets avec nous. Il a rencontré le maire Drapeau pour la première fois à Paris par l'entremise de M. Maurice Herzog.

« Je me rappelle l'année : c'était en 1968, tout de suite après les Jeux d'hiver de Grenoble. C'est alors que M. Drapeau a vu pour la première fois les plans du Parc des Princes. M. Taillibert les lui a montrés. C'était bien avant que le comité ne soit formé à Montréal pour trouver l'architecte des Jeux. »

Pour la première fois dans l'histoire des Jeux modernes, le pays hôte eut donc recours aux services d'un architecte étranger. Les autres pays ont toujours profité des Jeux pour donner une chance à leurs propres architectes de se mettre en valeur. Taillibert fut aussi le premier architecte à se faire décerner le contrat sans devoir passer par un concours.

Le maire a toujours repoussé les critiques de cette décision, disant : « Interdit-on de jouer Beethoven et Mozart à la Place des Arts ?... L'art ne connaît pas de frontière. »

En plus de partager l'amour du maire pour la musique (sa première femme était chanteuse d'opérette), M. Taillibert était de toute évidence sur la même longueur d'onde que M. Drapeau. Il se définit comme un bâtisseur plutôt qu'un architecte, un artiste plutôt qu'un ingénieur.

Quand on commença à froncer les sourcils au Canada

à propos de l'inflation des coûts au chantier olympique, il eut la même réaction que son patron.

« L'argent, toujours l'argent, les Canadiens et les Nord-Américains ne pensent à rien d'autre, dit-il à un reporter. Moi, ça ne m'intéresse pas du tout. Quand vous voyez la tour Eiffel, à quoi pensez-vous? Aux honoraires d'Eiffel ou au monument qu'il a bâti ? »

En France, Taillibert est connu comme un bon gaulliste et un fervent partisan de l'Union pour la défense de la République. En secondes noces, il s'est lié à la famille Pfeister, de grands industriels français.

À Montréal à cette époque, le public et la presse commençaient à s'inquiéter sérieusement de la lenteur des préparatifs des Jeux. Le service d'urbanisme, dirigé par M. Guy Legault et réputé l'un des meilleurs au Canada, attendait d'être consulté. L'Hôtel de Ville était muet comme carpe. Le public montréalais, au nom de qui se commettaient tous les crimes, n'était au courant de rien. La ville s'apprêtait à s'embarquer dans une grande aventure dans laquelle personne, hormis un petit groupe d'élus, n'aurait voix au chapitre.

Protégé par la consigne du silence, le maire faisait de fréquents sauts à Paris, en compagnie souvent de quelques fonctionnaires comme MM. Charles Boileau ou Claude Phaneuf.

Ce n'est que deux ans après l'octroi des Jeux à Montréal que le public eut son premier avant-goût de ce qui l'attendait. Le 6 avril 1972, soixante-seizième anniversaire de l'inauguration des Jeux modernes à Athènes par le baron Pierre de Coubertin, le maire convoqua une imposante conférence de presse.

Trois mille personnes — politiciens, fonctionnaires, représentants de la presse locale et étrangère, dirigeants et notables du milieu sportif, diplomates, etc. — se rassemblèrent au centre sportif Maisonneuve, sur l'emplacement du futur parc olympique, pour assister à la présentation audio-visuelle du grand cirque olympique.

La séance d'information proprement dite eut lieu à la salle de conférence du siège de l'Organisation de l'aviation civile internationale (O.A.C.I.), à côté de l'hôtel Reine-Elizabeth. Le maire abasourdit les deux auditoires par sa description enthousiaste de la merveille qu'on s'apprêtait à construire. Quelques-uns notèrent qu'il omettait d'aborder une question pourtant pertinente : celle du financement.

À part cette anicroche, la présentation parut satisfaire tout le monde, à l'exception de quelques manifestants des mouvements de lutte contre la pauvreté, qui pensaient que la ville devrait porter plus d'attention à d'autres problèmes pressants, et des politiciens fédéraux, qui s'étaient dérobés au rendez-vous malgré de multiples invitations.

Dans sa présentation, le maire dit que la noblesse et la simplicité seraient la règle aux Jeux de Montréal et répéta que l'événement ne coûterait pas un sou aux contribuables.

Quelques-uns néanmoins restaient sceptiques. Le stade n'avait pas l'air bon marché, même si M. Roger Taillibert, qui se manifestait en public pour la première fois (son nom n'avait jamais encore été mentionné par rapport aux Jeux), disait à un journaliste qu'on pouvait « probablement » le construire pour $60 millions, coût de l'Astrodome de Houston.

À ce prix, c'était certes une bonne affaire. Sur papier, l'ouvrage était particulièrement impressionnant : Il s'agissait d'un vaste amphithéâtre appuyé sur 34 arcs en cantilever; il était surmonté d'un côté d'une tour massive s'élevant à la hauteur d'un immeuble de 50 étages et s'inclinant jusqu'au centre du bâtiment. La tour était destinée à soutenir un toit mobile en matière caoutchoutée. Le toit devait être entreposé à l'intérieur de la tour et se déployer le long de haubans jusqu'à recouvrir entièrement la section ouverte du stade. La base de la tour devait renfermer les piscines. D'un côté de la base devait s'élever le plus grand vélodrome au monde.

Le stade devait être entouré par plusieurs niveaux de rampes et de promenades et par des terrasses recouvrant d'immenses parcs de stationnement souterrains.

La maquette, peinte en blanc pour en rehausser l'apparence, était non seulement superbe, elle était prodigieuse.

Cette structure audacieuse et révolutionnaire n'était pourtant pas sans rappeler quelque chose de vaguement familier.

Il s'en trouva qui eurent la curiosité de fouiller dans leurs tiroirs pour revoir le dessin de l'une des rares défaites publiques du maire, la tour de l'Expo.

Le maire avait rêvé de se ménager un souvenir de l'Expo, un monument qui deviendrait célèbre comme la tour Eiffel. Il avait fait appel à un architecte français, suivant son inclination, pour tracer les plans d'une gigantesque stèle, qui devait être construite en collaboration avec la ville de Paris. Le coût du projet avait d'abord été estimé à 20 millions de dollars, mais les soumissions indiquèrent que la tour ne pourrait jamais être construite à ce prix. Le maire eut l'idée de réaliser seul le projet lorsque Paris se défila, mais le président de l'exécutif, M. Lucien Saulnier, plus réaliste, s'y opposa et la tour ne fut jamais mise en chantier.

Les gens qui se donnèrent la peine de chercher dans leurs dossiers dirent que la tour du stade ressemblait étrangement à celle de l'Expo. La taille du projet était en contradiction flagrante avec la prétention si souvent réitérée par le maire de présenter des Jeux simples.

Publiquement pourtant, le budget de 120 millions de dollars proclamé à Amsterdam tenait toujours. Chaque fois qu'il était question d'argent, le maire et ses représentants louvoyaient et finissaient toujours par laisser entendre que le coût se situerait autour de ce chiffre.

Le maire, soupçonnait-on, cachait quelque chose. Quelques-uns eurent même l'impudence d'insinuer que les Jeux pourraient coûter jusqu'à 300 millions, d'après l'expérience récente de Munich, de Mexico et de Tokyo.

« Il y a anguille sous roche, » ne put s'empêcher de dire aux journalistes le premier ministre, M. Trudeau. Il dit qu'il se méfiait des intentions du maire même si M. Drapeau avait répété plusieurs fois qu'il n'aurait besoin d'aucune aide fédérale, sauf à tirer parti des programmes d'aide à l'habitation pour construire des H.L.M. qui serviraient provisoirement à loger les athlètes.

Le maire était déjà revenu légèrement sur sa promesse que « les Jeux ne coûteraient pas un sou aux contribuables » en disant que la plupart des équipements requis par les Jeux, comme l'extension du métro, devaient être construits de toute manière.

« Ce que j'ai dit, expliqua le maire, c'est que les Jeux ne coûteraient pas un sou de plus que la ville ne devrait débourser de toute manière pour les mêmes équipements. »

Même si M. Trudeau soupçonnait anguille sous roche, le maire Drapeau continuait de déborder d'optimisme, allant jusqu'à dire au conseil de ville que la question n'était pas de savoir s'il y aurait un déficit, mais que faire avec le « surplus des Jeux. »

Dans l'intervalle, les préparatifs progressaient sur un autre plan. Quand le Comité international olympique adjuge les Jeux, il les adjuge à une ville, avec l'assentiment de l'Association olympique nationale. Dans son esprit, la ville et l'Association doivent ensuite former un Comité d'organisation et engager la participation des autres ordres de gouvernement. D'ordinaire, on forme deux comités, l'un qui se charge de l'organisation des Jeux, l'autre de la construction des installations. Ces comités sont le plus souvent tripartites, comprenant des représentants de la ville, du gouvernement supérieur et des associations sportives.

À Montréal, le maire Drapeau et M. Howard Radford, de l'Association olympique canadienne, ex-assistant trésorier de la société Bell Canada, mirent sur pied le COJO (Comité organisateur des Jeux Olympiques). Le bureau du COJO se composait de représentants de la ville, de la province et de l'Association olympique canadienne.

Dès l'origine, le maire se mit en tête d'en confier la direction à un ambassadeur. Il y avait avantage, pensait-il, à avoir un diplomate et un représentant de l'administration fédérale. M. Roger Rousseau, alors ambassadeur au Cameroun, hérita de la fonction, en partie à cause de sa connaissance de l'Afrique qui pouvait être utile advenant une dispute à propos de l'Afrique du Sud.

Outre le maire, ses deux principaux conseillers furent appelés à siéger au bureau de direction : Gerry Snyder fut nommé vice-président en charge des recettes et Pierre Charbonneau vice-président en charge des sports. Le gouvernement provincial désigna M. Paul Desrochers pour faire partie du

Comité. M. Desrochers se vit confier presque aussitôt la responsabilité de vendre les droits de télévision.

La principale exception à la règle à Montréal fut de placer sous l'autorité de la ville, à la demande du maire, le gros des travaux. Le COJO se chargerait des installations hors de Montréal, celles des sports équestres à Bromont, de la voile à Kingston, Ontario, et du football à Toronto et à Ottawa. Le maire et le Comité exécutif de Montréal, composé de six conseillers triés sur le volet, seraient directement responsables de la plus grande partie des travaux et des dépenses. Ou, du moins, c'est ce qu'ils pensaient.

Après la présentation de l'esquisse du parc olympique et la formation du COJO, le dossier olympique faillit retomber au point mort, à part l'amorce d'une controverse au sujet du village olympique. Les responsables des Jeux de Montréal donnèrent l'impression de sombrer dans un état de torpeur tandis que l'attention du public se portait sur Munich où les Jeux de la XXe Olympiade s'ouvraient avec éclat pour se terminer dans un bain de sang.

Le service le plus affairé du COJO cette année-là fut celui des voyages, qui avait mission de préparer l'itinéraire des officiels et des cadres en Europe.

À Montréal, l'état de torpeur n'est en général qu'apparent et recouvre toutes sortes d'agissements secrets, d'intrigues et de machinations. Les fonctionnaires de la ville s'efforçaient d'arrêter un calendrier des travaux de construction sans posséder de plan précis de Taillibert. Il avait fait des esquisses, semble-t-il, mais ne s'était pas embarrassé de menus détails. Toutes les données techniques étaient encore sur les tables des ingénieurs de la rue de la Pompe, à Paris, qui essayaient de transformer la vision de l'artiste en un plan réalisable.

Les autorités de la ville, de concert avec le COJO, s'employaient à confectionner un budget conforme à la promesse du maire de n'engager aucun frais pour les contribuables.

Le maire Drapeau et les membres du COJO devaient prétendre plus tard que leurs difficultés du départ provenaient principalement de ce que le gouvernement fédéral tardait à mettre en œuvre divers modes de financement.

Ainsi, Gerry Snyder, parlant de l'émission des pièces de monnaie, dit que si l'Hôtel de la monnaie avait acheté l'argent en juillet 1972 plutôt qu'un an plus tard, il l'aurait payé un dollar quatre-vingt-dix l'once au lieu de quatre dollars. Le maire dit qu'il fallut retarder la mise en chantier parce que la ville ne disposait pas de sources de financement et qu'il n'allait certes pas autoriser des dépenses avant qu'il y ait des rentrées d'argent.

Ni l'Hôtel de Ville ni le COJO ne parvinrent à produire un budget ou à donner une idée précise des sources de revenus avant la fin de 1972.

En août de cette année-là, le premier ministre M. Trudeau écrivit au maire Drapeau, disant que le gouvernement fédéral attendait toujours de recevoir un budget détaillé.

« Bien que les fonctionnaires fédéraux en aient souvent fait la demande, écrivit M. Trudeau le 15 août, nous n'avons toujours pas reçu, autant que je sache, d'informations précises sur les préparatifs des Jeux ou sur leur mode de financement. La seule estimation que nous connaissons est contenue dans votre déclaration du 24 février dernier (1971) établissant le coût des Jeux à $124 millions... »

Il ajoutait que les fonctionnaires fédéraux avaient procédé à des études « tendant à démontrer que les Jeux de 1976 entraîneraient des dépenses de l'ordre d'un demi-milliard de dollars plutôt que les 124 millions que vous donnez à entendre... Notre propre analyse ne laisse pas de nous inquiéter, mes collègues et moi, d'autant que nous tenons si peu d'informations concernant le financement... »

En novembre, les autorités de la ville et du COJO accouchèrent finalement d'un budget et d'une hypothèse de financement qui ne furent pas rendus publics.

M. Rousseau, qui était entré en fonction en juin comme président et commissaire général du COJO, demanda trois choses au gouvernement fédéral : l'autorisation d'instituer une loterie nationale qui se prolongerait jusqu'en 1976, l'émission d'une série de timbres-poste (inspirée d'un programme suisse qui avait eu beaucoup de succès) et de pièces de monnaie.

L'ambassadeur fut avare de détails, sauf à mentionner que le budget total se situerait autour de 300 millions de dollars.

À la fin de janvier 1973, les autorités de la ville et du COJO étaient enfin prêtes à faire part au public de leurs secrets budgétaires et de leurs merveilleux programmes « d'autofinancement ».

Le budget de trois pages, totalisant 310 millions de dollars, en laissait effectivement beaucoup à l'imagination.

Les revenus devaient provenir de onze sources, dont l'une intitulée « recettes de la monnaie olympique » (qui permettraient, pensait-on, de couvrir le coût des installations) était estimée à 250 millions de dollars et représentait plus de 80 p. 100 du total. Les dépenses étaient réparties sur 35 postes. Les 34 premiers faisaient un total de 60 millions de dollars et comprenaient des éléments comme « camps de jeunesse : 100 000 dollars », « médailles, certificats : 350 000 dollars » et « flambeaux olympiques : 125 000 dollars ». Puis, venait le poste 35 :

« Construction du stade olympique, de la piscine, du vélodrome, du bassin d'aviron, du centre équestre, du champ de tir, ainsi que du centre d'entraînement Saint-Sulpice (piste intérieure, piscine). Comprend aussi réaménagement, modifications et améliorations des installations existantes à Montréal et à Kingston : 250 millions de dollars. »

Les $60 millions soigneusement compartimentés ressortissaient au COJO et les $250 millions portés globalement au budget étaient du ressort de Montréal. Quelques semaines plus tard, l'Hôtel de Ville émit un bref communiqué divisant ce chiffre comme suit : $172 millions pour le stade, $78 millions pour le reste.

Il y avait fort à parier que les chiffres avaient tout simplement été tirés d'un chapeau.

L'administration du Parti civique n'a jamais eu la réputation de se donner beaucoup de mal pour justifier des coûts. L'organisation des Jeux n'a jamais occupé plus d'une ligne dans le budget annuel de la ville. Dans le budget de l'exercice 1975-1976, par exemple, les seules écritures portant sur les Jeux étaient inscrites au poste des « dépenses imprévues récupérables ».

Une écriture mentionnant des « dépenses diverses » de $35 millions (le crédit original autorisé par le conseil pour lancer l'entreprise) était balancée par une autre disant : «dépenses récupérables : $35 millions». Une note en bas de page indiquait que le conseil avait autorisé les crédits supplémentaires de 250 millions de dollars pour les « installations olympiques ». C'était tout. Il n'était même pas fait mention que les Jeux auraient lieu à Montréal et qu'ils étaient susceptibles d'avoir un bon effet sur la vie de la collectivité.

Le président du Comité exécutif, M. Gérard Niding, s'est toujours hérissé à la suggestion qu'il conviendrait peut-être de donner plus de renseignements.

« Sottises » et « balivernes », a-t-il constamment riposté. Il a répété plusieurs fois que toutes les dépenses effectuées en vue des Jeux constituaient en réalité des « comptes recevables ». N'importe quel idiot est en mesure de comprendre que les Jeux s'autofinancent, n'est-ce pas?

Le conseil de ville s'est ainsi épargné bien des débats inutiles.

Un auditeur indépendant comme l'auditeur général du Canada pourrait peut-être se formaliser de ces méthodes de comptabilité. La ville résout le problème en n'ayant pas d'auditeur.

Vers l'époque où le COJO et l'Hôtel de Ville convoquèrent leur conférence de presse pour dévoiler le budget d'autofinancement de 300 millions de dollars, M. Trudeau écrivit au maire et à M. Rousseau, disant que les experts fédéraux prévoyaient un déficit de 100 à 200 millions de dollars. Ces prévisions étaient évidemment mal documentées puisque tous les détails des plans de construction étaient aussi bien gardés que n'importe quel secret du Pentagone.

Les négociations avec le gouvernement fédéral sur les divers modes de financement furent menées cet hiver-là. La question de la loterie était la plus délicate puisque chaque province devait consentir à la vente de billets sur son territoire. Le ministre des Finances du Québec, M. Raymond Garneau, prit charge des négociations avec les provinces. Il promit que toutes les recettes de la loterie seraient affectées à l'organisation des Jeux plutôt qu'à la construction d'ouvrages permanents. Ces travaux, dit-il, seraient défrayés entièrement par les recettes de la monnaie olympique. Finalement, toutes les provinces consentirent à sanctionner la loterie.

Le gouvernement fédéral informa la Chambre des communes en février 1973 de son intention d'amender le code criminel en conséquence et la loi fut adoptée en juillet.

Le maire trouvait ces délais intolérables. Il en rejetait le blâme sur la situation minoritaire du gouvernement Trudeau qui, disait-il, le faisait hésiter à présenter des projets de loi compromettants. L'explication était assez étonnante puisque personne au Parlement ne s'opposait au projet. Vraisemblablement, le gouvernement avait d'autres priorités, comme de déposer son budget : contrairement à Montréal, Ottawa avait d'autres chats à fouetter que les Jeux Olympiques et ne pouvait pas à volonté museler l'opposition.

À l'été 1973, toute la machine était prête à se mettre en marche.

Il n'y avait qu'un seul pépin. Les plans et les devis descriptifs du stade et du vélodrome n'étaient toujours pas terminés.

Entre temps, le COJO faisait son premier esclandre : la vente des droits de télévision à l'American Broadcasting Corporation. Paul Desrochers était chargé des négociations pour le COJO.

Les trois grands réseaux américains, A.B.C., N.B.C. et C.B.S. avaient commencé à manœuvrer pour obtenir les droits dès le lendemain des Jeux de Munich en 1972. C.B.S. et N.B.C. avaient été laissés sous l'impression que l'affaire ne serait pas bâclée avant longtemps et attendirent patiemment l'appel d'offres. Il ne vint jamais.

En novembre 1973, le COJO n'ayant toujours pas donné signe de vie, C.B.S. et N.B.C. commencèrent à penser qu'il se tramait quelque chose. Effectivement, le COJO et A.B.C. signaient le 18 novembre une entente secrète donnant au réseau américain un avantage marqué sur ses concurrents. L'entente concédait provisoirement les droits à A.B.C. moyennant 25 millions de dollars, un record olympique : les droits s'étaient vendus 13 millions à Munich. En outre, A.B.C. se faisait octroyer le privilège d'égaler ou d'enchérir sur toute offre de ses rivaux supérieure à 25 millions.

N.B.C. et C.B.S. eurent vent de l'affaire et tentèrent désespérément d'engager des négociations avec Desrochers. Il leur dit qu'ils devraient désormais traiter avec Marvin Josephson and Associates, filiale de l'International Famous Agency, imprésarios. Josephson est un maquignon chevronné de New York qui ne compte plus les scalps à sa ceinture, mais qui n'a jamais rien eu à voir avec la télédiffusion des événements sportifs. Ses services avaient été retenus à la demande de Desrochers et il se trouvait ainsi à toucher des honoraires et des commissions comme intermédiaire du COJO dans une entente déjà conclue.

N.B.C. envoya un télégramme de protestation à Lord Killanin, président du Comité international olympique, tandis que C.B.S. réclama des explications de Desrochers. Le COJO fit savoir qu'il recevrait toutes les offres.

En privé, les représentants des deux réseaux ne cachaient pas leur aigreur. Ils disaient qu'on leur avait demandé d'importantes ristournes pour avoir droit à l'assiette au beurre. Un dirigeant de N.B.C. révéla même qu'on l'avait assuré que le réseau n'aurait pas de mal à emporter le morceau s'il versait un pot-de-vin de cinq millions à la caisse du Parti libéral du Québec.

L'affaire éclata au grand jour juste avant Noël 1972 quand un quotidien de Montréal annonça que A.B.C. avait acheté les droits pour 25 millions sans appel d'offres. Gerry Snyder, membre du Comité de la télévision, démentit la nouvelle et promit « de faire la lumière sur toute la question avant 48 heures ».

Deux semaines s'écoulèrent avant que le COJO ne convoque une conférence de presse pour confirmer que les droits américains de télédiffusion avaient été octroyés au réseau A.B.C. Les réseaux concurrents crièrent à l'injustice, protestant qu'on ne leur avait pas donné l'occasion de soumissionner et que toute l'affaire avait été bâclée en coulisse.

Roone Arledge, président de la section des sports de A.B.C., protesta publiquement sur un ton de vierge offensée, mais dit à des amis en privé: « J'ai traité avec des républiques de bananes avant aujourd'hui, mais je n'ai encore jamais rencontré de pirates comme ces gens-là... »

En moins d'un an, A.B.C. avait revendu au prix de 41 millions de dollars tous les espaces réservés à la réclame dans sa programmation des Jeux. Le réseau prétendait tout juste joindre les deux bouts, mais il avait inclus un profit de trois à cinq millions de dollars dans son budget.

Marvin Josephson, de son côté, empocha plus de 375 000 dollars pour ses « efforts » et se mit en frais d'aller vendre des droits de télédiffusion au reste du monde. Il faillit tout gâcher et empêcher la retransmission des Jeux à l'extérieur du Canada et des États-Unis.

La morphologie de la télédiffusion des Jeux Olympiques se présente à peu près comme suit :

Le télédiffuseur principal des Jeux Olympiques est une filiale de la Société Radio-Canada, l'Organisation de la radio et de la télévision olympique (ORTO). L'ORTO fournit tout le matériel — caméras, studios, etc. — et c'est elle qui alimentera les diffuseurs étrangers. Le coût de ce service est estimé à 56 millions de dollars.

L'ORTO récupérera 6 millions de dollars des pays étrangers à titre de paiements pour des services particuliers. Elle bénéficie d'un octroi spécial de 25 millions de dollars du gouvernement fédéral et la dernière tranche de 25 millions de dollars doit venir du COJO.

Le COJO, de son côté, est tenu de partager avec le Comité international olympique et les fédérations internationales de sports le produit de la vente des droits de télévision. Ces revenus constituent pratiquement le seul fonds de roulement du C.I.O. En portant la moitié de la somme qu'il avait reçue du réseau A.B.C. au titre des « droits » et l'autre moitié au titre des « services », le COJO réussit à réduire à 5,8 millions de dollars, au lieu de 8 à 10 millions de dollars, la somme qu'il dut refiler au C.I.O.

Piqué au vif, cela s'entend, Lord Killanin dénonça publiquement la cupidité du COJO dans ses négociations avec les télévisions étrangères. Mais le COJO était en réalité mal fichu financièrement. À moins de tirer beaucoup plus d'argent des droits de télévision que Munich n'en avait touché, son entreprise de télévision risquait d'encourir un déficit considérable. L'Union européenne de radiodiffusion, groupant trente-trois pays, tenait la clé du problème. Elle avait payé 1,7 million pour les droits de télédiffusion des Jeux de Munich; Josephson et le COJO lui réclamaient maintenant 20 millions. Ils exigeaient aussi 5 millions des Européens de l'Est, qui avaient payé 300 000 dollars en 1972.

Les Européens accusèrent le COJO de vouloir les saigner. Il y eut beaucoup de battage autour des négociations. Les deux parties étaient si éloignées l'une de l'autre qu'il y avait sérieusement à craindre qu'elles ne s'entendent pas et que les Jeux ne puissent être télévisés en Europe.

Les accusations de brigandage s'accompagnaient de rumeurs de retards irrécupérables dans le programme de construction des installations olympiques. On disait que les Jeux devraient être annulés, retardés ou déménagés hors du Canada. Les bruits de pots-de-vin dans la transaction entre le COJO et A.B.C. avaient aussi atteint la Chambre des communes et un journal de Montréal y avait fait écho, contribuant davantage à flétrir la réputation des organisateurs des Jeux.

En juin 1975, prévoyant encore tirer des recettes de 52 millions de dollars de la vente des droits mondiaux de télévision, le COJO proclamait fièrement qu'il allait réaliser un profit de 12,7 millions de dollars dans l'opération. Les recettes, cependant, n'atteignirent pas 40 millions de dollars.

Après beaucoup de chamaillerie, de hargne et de mauvaise presse, les ententes avec l'Europe furent finalement signées en janvier 1976. Le COJO réglait avec les télévisions d'Europe occidentale et orientale pour la somme totale de 9,5 millions de dollars.

La négociation des droits de télévision fut la première grande entreprise publique du COJO. Elle fit fiasco et imprégna la direction des Jeux de Montréal d'une odeur de scandale et de maquignonnage dont elle ne parvint jamais plus à se débarrasser tout à fait.

CHAPITRE 4

Le maléfice des dieux

*« En 1976, les Jeux Olympiques rassembleront
encore une fois la jeunesse du monde. En ces temps
d'agitation et d'inquiétude, ils nous paraissent d'un
phare solidement planté dans le roc. »*

Lord Killanin,
président du Comité international olympique

Au fur et à mesure que se déroulait l'histoire olympique,
on eut souvent l'impression que rien n'allait et que tout était
susceptible de se produire comme si les dieux de l'Olympe
avaient jeté un sort sur ceux qui dévoyaient ainsi l'esprit des
Jeux inaugurés sous leurs auspices il y a plus de deux mille
ans.

À l'automne 1975, un adolescent d'Ottawa pris de dé-
mence égorgea une amie dans la demeure de ses parents, puis
s'en alla à l'école canarder une demi-douzaine de ses profes-
seurs et de ses camarades de classe avant de se tirer dessus.
Les voisins, priés de commenter le drame, débitèrent les pla-
titudes d'usage — « c'était un brave garçon, discret, bien élevé;
on n'aurait jamais pensé » — et dirent : « Et puis, il était tout
content d'avoir trouvé un emploi d'été comme officier de sécurité au stade olympique. »

Vers le même temps, le sprinter canadien Joan Wenzel

fut exclue à vie des compétitions internationales pour avoir absorbé un antihistaminique avant une épreuve des Jeux panaméricains. Atteinte d'un rhume, elle avait pris par erreur un cachet qui contenait une infime proportion d'une drogue interdite par les fédérations de sport amateur. Au moment où la nouvelle fut annoncée, les fabricants d'un antihistaminique du nom de *Coricidin « D »* contenant exactement la même drogue annonçaient sur tous les panneaux-réclame au Canada qu'ils venaient d'être choisis comme « les pourvoyeurs officiels de ce médicament aux Jeux Olympiques de 1976 ».

Au printemps 1974, l'ambassadeur canadien en Argentine adressa la dépêche qui suit au ministère des Affaires extérieures à Ottawa :

Étant donné les libertés que s'autorise de nos jours le langage écrit, je me crois justifié, voire obligé d'attirer votre attention sur certains sigles auxquels le Comité d'organisation des Jeux Olympiques de 1976 a nettement donné le caractère de substantifs — substantifs qui dans le « lunfardo » (argot) de Buenos Aires et de l'Uruguay ont une signification ou une connotation qui interdit à mon ambassade d'en faire usage. Je veux parler de COJO et d'ORTO.

Parlons franc et net. À Buenos Aires, COJO veut dire PELOTER et ORTO signifie quelque chose d'un peu plus vulgaire de TROU DU CUL.

Je comprends qu'il s'agit d'un accident de la nature. J'ai déjà entendu parler d'ambassadeurs qu'on a refusé d'accréditer parce que leur nom prêtait à confusion. Nous ne pouvons pas changer COJO ou ORTO simplement à cause de l'Argentine et de l'Uruguay. Mais il est bon d'être avertis et d'être sur nos gardes avant de faire usage de ces deux mots.

Il vous intéressera sans doute de savoir qu'un numéro de l'automne 1973 du Journal LE DEVOIR portait en manchettes : « Le gouvernement donne 250 millions de dollars pour COJO ». Lorsque le journal est arrivé à nos bureaux, notre personnel indigène n'a pu s'empêcher de faire observer que le gouvernement canadien était bien généreux. Je vous dirai que nous n'avons pas tardé à retirer le journal de la circulation. Nous devons faire face au problème et nous arriverons bien à nous protéger d'une façon ou d'une autre si nous avons à diffuser des renseignements concernant les Jeux Olym-

piques. Les gars de Montréal devraient toutefois être prévenus du danger. Je ne doute pas que Monsieur l'ambassadeur Roger Rousseau, qui a déjà été en poste à Buenos Aires, comprendra la délicatesse avec laquelle il faut traiter cette question.

Incidemment, la collection de pièces de monnaie olympique que j'espère présenter à la présidente Peron et au président Borda-berry de l'Uruguay, m'est arrivée dans des boîtes de métal gravées aux initiales du COJO, mais je ne m'en inquiète pas trop en raison du nombre limité des récipiendaires et du fait qu'ils prendront à peine le temps de les regarder, peut-être sans même remarquer le sigle, avant de les refiler à un membre de leur entourage.

Quand le COJO se mit en frais de redorer son blason, il s'y prit mal. Se laissant distraire comme toujours par des vétilles, il se sentit gêné par une femme à lunettes au moment de la sélection des hôtesses et refusa de l'engager. Indignée, cela s'entend, la femme courut vers les journaux qui firent du scandale et accusèrent le COJO de sexisme, le forçant à revenir sur sa décision et à conter fleurette désormais à quiconque chaussait des besicles.

Le COJO n'était pas le seul organisme en butte aux sortilèges des dieux de l'Olympe. Tandis qu'il veillait aux préparatifs des cérémonies d'ouverture, un fonctionnaire de l'une des agences de contrôle du gouvernement fédéral découvrit que les cabinets d'aisance du yacht royal Britannia n'étaient pas conformes aux nouveaux règlements édictés par Ottawa. De délicates négociations s'engagèrent qui n'impliquèrent pas moins de cinq ministères fédéraux. Ils dirent tous en chœur aux autorités britanniques que les nouveaux règlements interdisaient aux navires de déverser leurs eaux d'égout dans les eaux canadiennes. Il fallait donc voir à corriger les toilettes du Britannia qui devait remonter le Saint-Laurent jusqu'à Montréal pour emmener Sa Majesté la reine à la cérémonie d'ouverture. Le fait que Montréal est l'une des dernières grandes villes industrielles du monde occidental à déverser ses eaux d'égout non traitées dans son fleuve n'a pas autrement dérangé les autorités. (Une usine de traitement est en voie de construction à Montréal, mais les travaux ont dû être retardés en raison de la dette olympique.)

Ainsi, quand le yacht royal remontera le Saint-Laurent, il

sera suivi d'un youyou qui recueillera ses déjections et les déposera sur la rive. À Montréal, la merde, une fois transportée sur la rive, sera rendue au Saint-Laurent tout comme l'est chaque jour la crotte de Jean Drapeau.

Son Excellence monsieur l'ambassadeur Roger Rousseau, président et commissaire général, est en théorie le chef du COJO.

Il a toujours le titre d'ambassadeur puisqu'il est toujours porté sur la liste des ambassadeurs par le ministère des Affaires extérieures, qui continue de payer son salaire. Dans son bureau sont affichés divers souvenirs de sa carrière et de ses pérégrinations. Il a été affecté notamment à la Nouvelle-Orléans, à Mexico, à Beyrouth, à Paris et à Buenos Aires. L'un de ces objets est sans doute là pour accréditer son aptitude à diriger l'organisation des Jeux Olympiques : il s'agit d'un trophée qui le proclame « champion de golf amateur du Cameroun », sa dernière affectation diplomatique avant d'être nommé à Montréal.

Les autorités de la ville l'ont installé confortablement dans une maison de 16 pièces, près du lac des Castors, au sommet du Mont-Royal. La maison a été achetée précisément pour servir de résidence officielle au commissaire général. De toute évidence, Rousseau prenait plaisir au rang, au prestige et au respect que devait lui conférer sa nouvelle position. (Un jour qu'un policier eut l'indélicatesse de prier madame l'ambassadrice de faire faire son chien ailleurs que dans le parc du Mont-Royal, M. Rousseau s'en plaignit amèrement au maire et l'agent fut réaffecté.)

Malheureusement pour Son Excellence, ça n'a pas marché tout à fait comme prévu. Les préparatifs ont piétiné, les crises se sont succédé et il fut convoqué coup sur coup à des assemblées d'urgence du C.I.O. pour expliquer ce qui se passait.

Les décisions les plus bénignes et les plus innocentes tournaient à la catastrophe. Il était officiellement le patron mais sous lui, le COJO était rempli d'hommes ambitieux et cupides qui intriguaient, se querellaient et cabalaient sans arrêt. La cuisine du COJO se compliquait par la présence de protégés d'hommes politiques et de fonctionnaires municipaux, provinciaux et fédéraux. Il y avait enfin beaucoup d'animosité et de méfiance entre le personnel de langue française et celui de langue anglaise et les relations avec le public étaient grossièrement négligées. La direction du COJO adopta d'emblée le style du maire Drapeau et tenta de tout faire en secret. La presse était considérée comme une ennemie. Le COJO alla même un jour jusqu'à renvoyer une secrétaire parce qu'elle avait accepté de se faire conduire chez elle par un journaliste après le travail. Les journalistes en vinrent naturellement à penser que les gens du COJO cachaient quelque chose.

La presse étrangère était particulièrement désobligeante envers le COJO, surtout la presse ouest-allemande, qui eut tôt fait d'emboîter le pas au commissaire général des Jeux de Munich, Willi Daume. (Daume ne laissait pas d'indisposer Rousseau parce qu'il refusait de l'appeler « Votre Excellence »; lorsqu'il exerçait la fonction de Rousseau à Munich, Daume se faisait appeler Willi.)

Il était fréquent que se produisent à la télévision canadienne des « experts » allemands qui parlaient du COJO comme de « la nef des fous ». Rousseau s'en exaspéra au point qu'il se rendit un jour chez l'ambassadeur de Bonn au Canada et lui demanda de voir à faire taire la presse allemande. L'ambassadeur répondit gentiment que la presse était libre en Allemagne de l'Ouest et qu'il ne pouvait en conséquence exaucer sa prière.

L'*Evening News*, de Londres, titra une fois en manchettes : « Les Jeux Olympiques de la mafia ». Le magazine français *L'Express* affirma sans ambages que la mafia contrôlait les Jeux de Montréal. L'*Evening Herald* de Dublin dit qu'il fallait « un miracle pour empêcher les Jeux de la XXIe Olympiade de tourner à la catastrophe et de donner une farce canadienne-française dont personne ne rira, sauf les Russes qui sont déjà mieux préparés à recevoir les Jeux de Moscou en 1980 que ne le sont les Canadiens à Montréal en 1976 ».

Le *Times* de Londres dit : « Il y a une odeur fétide de vermine et d'assiette au beurre autour des Jeux 1976... »

Contrairement au COJO, Moscou a su dégager les leçons du passé. Les Soviétiques ont retenu les services de Willi Daume, qui est aussi entrepreneur, pour construire trois nouveaux hôtels en vue des Jeux de 1980. Ils ont adjugé d'autres contrats importants à des sociétés allemandes comme Mercedes-Benz. Ce sont les Allemands qui ont déblatéré les premiers contre Montréal et ont le plus contribué à lui faire une mauvaise réputation à l'étranger. On ne s'attend pas qu'ils médisent de Moscou.

Les Jeux Olympiques sont une entreprise extraordinairement complexe. Pendant une période de 16 jours, entre la cérémonie d'ouverture le 17 juillet et la cérémonie de clôture le 1er août, les organisateurs doivent veiller au logement et aux déplacements de plus de onze mille athlètes et officiels et d'une véritable armée de journalistes et de responsables parmi vingt-et-un terrains de compétition et cinquante-six installations d'exercices. Le COJO est en outre responsable du chronométrage des épreuves, de la compilation des résultats, des communications, des services d'ordre et de sécurité et des programmes destinés à recueillir des fonds.

Le budget d'exploitation du COJO fut finalement fixé à $135 millions, plus du double de l'estimation initiale. Et encore, il ne tenait pas compte de l'hypothèque de quelque $80 millions du village olympique ni des $100 millions que devait débourser le gouvernement fédéral pour défrayer les services de sécurité. En tout et partout, la contribution fédérale devait s'élever à environ $150 millions.

Les $135 millions ne couvraient que les activités du COJO, c'est-à-dire le coût strict d'organisation des Jeux.

M. Roger Rousseau n'eut jamais la haute main sur l'organisation. Il y eut deux règnes au COJO: le règne de Saint-Pierre et le règne de Loiselle.

Simon Saint-Pierre vint au COJO comme directeur général de la construction et de la technologie. Ambitieux et débrouillard, il ne tarda pas à étendre son champ d'influence. En moins d'un an, il était devenu vice-président exécutif, le « Père Joseph » de Rousseau et le chef occulte du COJO.

Saint-Pierre provenait du monde de l'informatique. Il avait d'abord été au service de I.B.M., puis avait fondé sa propre compagnie, B.S.T., au milieu des années 60. Le "B" du sigle représentait Paul Berthiaume, plus tard ministre provincial des Transports, le « S » représentait Saint-Pierre et le « T », Roger Thériault. La moitié des affaires de B.S.T. provenait du gouvernement provincial. Avant d'assumer leurs fonctions publiques, Berthiaume et Saint-Pierre cédèrent tous deux leurs intérêts à une société américaine et B.S.T. devint Aquilla-B.S.T.

I.B.M. et Aquilla-B.S.T. devaient toutes deux jouer un rôle important auprès du COJO à la fois comme entrepreneurs et comme pourvoyeurs de cadres. L'un des hommes de confiance de Saint-Pierre, Michel Guay, qui lui succéda comme directeur général de la construction et de la technologie et plus tard au poste de vice-président, avait été administrateur de I.B.M. Paul Howell, l'adjoint américain de Saint-Pierre, provenait aussi de I.B.M. Le frère du ministre des Transports, Adrien (Ted) Berthiaume, devint directeur général de l'administration.

I.B.M. obtînt éventuellement le plus gros contrat d'informatique adjugé par le COJO et les autres sociétés d'informatique se plaignirent que le cahier des charges avait été préparé de manière que seule I.B.M. puisse s'y conformer. Les frais d'informatique, à la suite de quelques rallonges, s'élèveront à plus de $7 millions, prévoit-on. Olivetti Canada dit qu'elle avait offert les mêmes services pour $2 millions, mais c'était avant les hausses de coût provoquées dans certains cas par des modifications au contrat.

Aquilla-B.S.T. obtînt toute une série de contrats de consultation pour régler les difficultés qui ne cessaient de surgir dans divers programmes.

(L'informatique semblait être un bon filon. La femme d'un des consultants d'Aquilla-B.S.T., décoratrice d'intérieur, fut chargée de décorer les bureaux de quelques administrateurs du COJO, dont Saint-Pierre.)

Selon un fonctionnaire du COJO, le rôle de Saint-Pierre s'apparentait à ceux de Haldeman et de Ehrlichman réunis. C'était l'homme des décisions qui ne se faisait pas scrupule de renverser les objections du conseil d'administration lorsqu'elles lui paraissaient impertinentes.

Un jour, par exemple, A.B.C. décida d'utiliser sa caméra portative sur les terrains des compétitions, ORTO s'y opposa fermement, jugeant qu'elle avait déjà assez de mal à coordonner cent sept postes permanents de caméra (les super-productions de télévision n'en utilisent guère plus que quatre en studio; au Superbowl, on en utilise parfois jusqu'à neuf).

Saint-Pierre trancha la dispute en faveur de A.B.C. et ordonna à ORTO de céder à son caprice.

Outre Rousseau et Saint-Pierre, le bureau du COJO se composait de Gerry Snyder, vice-président aux revenus et conseiller municipal, de Pierre Charbonneau, vice-président aux sports, et de Howard Radford, secrétaire-trésorier, durant les années cruciales de 1974 et 1975.

Lord Killanin et le C.I.O. étaient scandalisés par la composition du bureau. Il n'y siégeait personne ayant de l'acquis dans le monde du sport international. Ils se formalisaient surtout que James Worrall, délégué canadien au C.I.O., n'en soit pas membre, contrairement à la tradition olympique. Au début de 1974, le C.I.O. fit savoir qu'il adopterait un nouveau règlement consacrant cette tradition. Le COJO obtempéra et Worrall, avocat de Toronto, en devint membre.

Louis Chantigny siégeait au bureau à l'origine à titre de vice-président aux communications, mais il dut s'en retirer en 1973 pour des raisons de santé. Il ne fut pas remplacé et Saint-Pierre, qui n'était encore que directeur général de la technologie, en profita pour chausser ses bottes et commencer son ascension. (Chantigny, nommé conseiller spécial de Rousseau, ne joua plus désormais qu'un rôle honorifique.)

Le bureau, qui se réunissait chaque semaine et dirigeait les travaux quotidiens, était responsable au conseil d'administration du COJO qui se réunissait beaucoup plus rarement. Au conseil siégeaient, outre les membres du bureau, le maire Drapeau, le maire de Kingston où devaient avoir lieu les compétitions de yachting, Paul Desrochers, l'organisateur du Parti libéral, et Harold Wright, de Vancouver, président de l'Association olympique canadienne.

Le COJO traita toujours avec une admirable désinvolture la partie sportive des Jeux Olympiques. À l'automne 1975, Pierre Charbonneau, l'homme le plus ferré du bureau en matière de sports et le plus sensible à la dimension internationale des sports, succomba à une crise cardiaque. Plutôt que d'élever son assistant, Walter Sieber, à la vice-présidence, le bureau se contenta de le nommer directeur général des sports et Saint-Pierre, qui n'avait absolument aucun titre de compétence en matière de sports, assuma les responsabilités de Charbonneau.

Une anecdote touchant la construction du stade olympique illustre bien l'importance de posséder au moins certaines notions de sport pour diriger la mise en scène du plus grand événement sportif au monde. En athlétisme, c'est une règle fondamentale que toutes les épreuves de course se déroulent en sens inverse des aiguilles d'une montre et se terminent à la fin d'un bout droit. Le principe est aussi sacré que la ligne bleue au hockey ou le hors-jeu au soccer. Or, tandis que le stade était en chantier, on s'aperçut qu'il serait difficile de placer la tour d'arrivée avec tout son matériel de chronométrage à l'extrémité sud-est où les courses devraient normalement se terminer. Michel Guay, alors directeur général de la technologie et de la construction, informa la direction de l'athlétisme que la tour devrait être placée à l'extrémité nord-est, donnant l'alternative suivante: ou bien les courses devraient se dérouler dans le sens des aiguilles d'une montre et se terminer sur un bout droit, ou bien elles devraient se dérouler en sens inverse et se terminer dans une courbe.

L'un de ceux qui prirent part à la discussion dit que c'était un peu comme de chercher à expliquer à un novice au poker pourquoi un carré de trois est moins fort qu'un carré d'as. Guay finit toutefois par se rallier au point de vue des experts en athlétisme.

« Comment des hommes qui ne comprennent rien aux sports peuvent-ils présenter un spectacle sportif? » a demandé un jour Willi Daume à Roger Rousseau.

« Mais je joue au golf », rétorqua Rousseau en pouffant de rire.

Le seul homme au COJO qui pouvait se piquer de connaître à fond les sports était un spécialiste du C.I.O. du nom d'Arthur Takac, colonel de l'armée yougoslave, ex-combattant du maquis français, délégué auprès de Rousseau comme conseiller. Parlant six langues, onctueux et raffiné, Takac tranchait prodigieusement sur ses collègues autant par ses façons d'Européen que par sa compétence, mais il était beaucoup trop respectueux des formes pour s'autoriser à critiquer.

Déjà chargé de l'organisation des épreuves de la Coupe mondiale d'athlétisme en 1977, Takac convoite la présidence de l'Association européenne d'athlétisme, position qui devrait le mener éventuellement à la présidence de l'Association mondiale. Il redoute naturellement tout faux pas susceptible de le remettre sur le chemin des casernes. Aussi fut-il l'une des rares personnes à ne jamais omettre d'appeler Rousseau « Votre Excellence ».

La roublardise de Saint-Pierre, son doigté dans l'intrigue politique lui permirent de gagner rapidement de l'influence. Il fut fort aussi de la faiblesse des autres.

Doué d'un certain sens de l'organisation, il s'immisça souvent dans des fonctions que personne d'autre ne pouvait remplir. Quelquefois, c'était purement affaire d'allant et d'ambition chez cet homme de quarante-et-un ans que ses amis soupçonnaient de rêver secrètement de devenir premier ministre de la province.

Saint-Pierre intervint dans presque toutes les tractations avec les Terrasses Zaroléga, qui bâtirent le village olympique. Quand la police fit enquête sur ce projet, elle perquisitionna dans son bureau.

Lors des compétitions de l'été 1975, qui étaient en fait une sorte de répétition générale des grandes épreuves des Jeux de 1976, Saint-Pierre prit la direction des opérations. Son bureau traita avec tous les fournisseurs et Saint-Pierre se chargea des négociations les plus importantes entre le COJO et les autres organismes.

Bref, s'il était un homme qui savait ce qui se passait au COJO, c'était Saint-Pierre.

Mais dans le nid de vipères qu'était le COJO, sa position restait fragile. Il avait un rival sérieux dans la personne de Jean Loiselle, qui vint au COJO à l'été 1975.

Détaché de son poste de conseiller spécial au Ministère provincial des Communications et touchant $4 000 d'appointements mensuels du COJO, Loiselle emmena avec lui une demi-douzaine de fonctionnaires de l'Hydro-Québec et les installa aux postes de commande. Ces nouveaux arrivants parmi lesquels se trouvait Maurice Cusson, désormais directeur des relations publiques du COJO, emportèrent non seulement leurs pénates, mais se firent suivre par leurs secrétaires de l'Hydro-Québec.

Loiselle possédait cette expérience politique qui pouvait être utile au COJO. On lui reconnaît généralement le mérite d'avoir été l'artisan de la victoire surprise de Daniel Johnson et de l'Union nationale sur Jean Lesage et les libéraux de la Révolution tranquille en 1968. Le résultat était pour le moins inattendu puisque tout le monde croyait les libéraux solidement installés au pouvoir.

Politicien habile, Daniel Johnson devint vite populaire, mais il mourut en fonction et son successeur, Jean-Jacques Bertrand, ne put résister à la poussée des libéraux et de leur nouveau chef, Robert Bourassa, à l'élection générale de 1970.

L'une des grandes qualités de Johnson était de savoir s'entourer de conseillers capables de jauger la disposition du public et de tirer ensuite parti de leurs conseils. Loiselle et Louis Chantigny comptaient parmi ses principaux conseillers. Leurs talents étaient complétés par le travail de coulisse du plus grand des manœuvriers, Paul Desrochers.

À la mort de Johnson, Desrochers passa au Parti libéral et manigança la victoire de Robert Bourassa au congrès de leadership où les trafiquants de pouvoir jouèrent un rôle au moins aussi important que celui des délégués, sinon davantage. Quand Bourassa devint premier ministre, il nomma Desrochers conseiller spécial et en fit son bras droit. Préférant travailler dans l'ombre, Desrochers ne se manifesta presque jamais en public ni auprès des journalistes, dont il se méfiait profondément. Mais il eut son mot à dire dans toutes les décisions importantes du régime Bourassa, y compris les négociations qui aboutirent au projet de développement hydroélectrique de la baie James dont l'extravagance dépasse de loin celle des Jeux Olympiques. Malgré sa discrétion, Desrochers devint un personnage fort controversé.

Il fut projeté à l'avant-scène lorsqu'il fut appelé à témoigner devant la Commission Cliche qui faisait enquête sur l'industrie de la construction. Tout au long de l'enquête, le nom de Desrochers revenait fréquemment dans la bouche des témoins. Il apparaissait que toutes choses, petites ou grosses, devaient passer par lui.

L'enquête révéla qu'il avait mis sur pied une sorte de centre d'embauchage parallèle pour le chantier de la baie James de manière à distribuer ses faveurs. Il négocia aussi une entente secrète avec les dirigeants de Bechtel, la plus grande société de génie civil au monde, lui permettant de prendre en main la direction du projet. Il fit cette démarche à l'insu des administrateurs de la Société de développement de la baie James et de l'Hydro-Québec, responsables du projet. Plusieurs d'entre eux démissionnèrent par la suite et furent remplacés par des hommes mieux disposés à l'égard du parti.

La Commission Cliche réprimanda Desrochers pour avoir gardé 20 000 actions de la compagnie Sogéna Inc. tandis qu'il était attaché au bureau du premier ministre. Sogéna était propriétaire de la Place Dupuis, complexe immobilier de Montréal qui touchait $3,5 millions annuellement en loyers de la part de diverses agences gouvernementales, y compris la Société de développement de la baie James et l'Hydro Québec.

Parmi les autres grands actionnaires de Sogéna se trouvaient Roland Désourdy, qui occupe une place importante dans le dossier olympique, et Normand-C. Gagnon, libéral en vue dont le nom est aussi mentionné dans le rapport Cliche.

Durant la course au leadership du mouvement libéral provincial en 1970, Gagnon prêta $50 000 au candidat Pierre Laporte, plus tard ministre du Travail et victime du F.L.Q., dont le nom ne cesse de revenir à la surface dans toutes sortes d'enquêtes. Selon les dépositions faites devant la Commission Cliche, il y avait plusieurs cosignataires au prêt dont les conseillers Maurice Landes et Gerry Snyder, membres du Parti civique et du comité exécutif de Montréal. Landes reçut vers cette époque un chèque de $50 000 dont il n'arrivait pas à déterminer l'origine, sinon qu'il était tiré sur un compte du Montreal Trust. Il s'en servit pour rembourser le prêt de Gagnon. On supposa devant la Commission que Desrochers et le Parti libéral avaient décidé de payer les dettes de feu Pierre Laporte.

Toutes ces tractations incitèrent les journalistes à s'intéresser davantage à Desrochers qu'ils décrivaient comme l'éminence grise du régime Bourassa.

Pour des raisons qu'on s'explique mal, Desrochers décida de rompre son silence exactement 101 jours avant l'ouverture des Jeux Olympiques et de tomber à bras raccourcis sur « les feuilles à scandales » et tout un assortiment de gens lui apparaissant comme un danger public.

Parlant à la Chambre de commerce de Montréal, il dit que la presse écrite et parlée au Québec était engagée dans « une campagne de dénigrement systématique ayant pour but précis et avoué d'affaiblir nos institutions et leur chef de manière à les anéantir ».

Il dit encore que la presse était « moins éprise de vérité que de sensationnalisme » et qu'elle s'attaquait délibérément à la réputation des hommes d'affaires et de « nos alliés naturels, nos complices, les politiciens ».

C'était son premier discours public depuis 1969 et il tint à l'égard de toute forme d'opposition un langage étrangement semblable à celui du maire Drapeau. Desrochers s'en prit aux chefs ouvriers, aux agitateurs et aux fauteurs de trouble qui, disait-il, « rêvent du grand jour où ils pendront les bourgeois à la lanterne sous les yeux amusés d'un prolétariat libre ».

C'est la marotte des libéraux, de Drapeau et du Parti civique et de leurs amis du milieu des affaires de percevoir l'opposition dans le Québec comme étant formée de révolutionnaires lunatiques qui n'ont d'autre but que d'anéantir l'élite, le système et la tradition catholique du Canada français. La rhétorique de Desrochers n'eut certes pas semblé étrangère dans un pays comme l'Espagne.

Ce sont des hommes comme Desrochers qui soutenaient l'aventure olympique parce qu'elle leur apparaissait comme une façon d'accroître le prestige du Canada français en même temps que leur propre pouvoir. Ils savaient que l'échec du projet risquerait d'affaiblir singulièrement leur position.

Vers la fin de l'été ou le début de l'automne 1975, Bourassa en arriva à la conclusion qu'il n'avait pas d'autre choix que de prendre en main l'organisation des Jeux. Il était relativement facile de prendre la relève de Montréal au chantier olympique: la ville était fauchée et n'était pas en mesure de s'y opposer. Le COJO, avec ses fiefs, était une autre histoire, d'autant qu'il disposait de fonds substantiels en provenance de la loterie olympique. Il avait en réalité plus d'argent qu'il ne pouvait dépenser puisqu'en vertu d'une entente avec les neuf autres provinces, les recettes de la loterie ne pouvaient être affectées qu'à l'organisation des Jeux et non pas à la construction des installations.

Il revint à Desrochers de manœuvrer en coulisse et d'exercer les pressions qu'il fallait pour modifier l'équilibre du pouvoir. Il se servit de Loiselle comme homme de paille.

En octobre, Loiselle fut promu conseiller spécial de Roger Rousseau avec regard sur les communications, les relations avec la presse, les cérémonies officielles, les manifestations artistiques et culturelles, la conception et la présentation graphique, domaines qui relevaient jusque là de Simon Saint-Pierre. La presse conjectura que Loiselle devenait le numéro trois du COJO. Elle se trompait : il devenait en réalité le numéro un et l'étoile de Saint-Pierre commençait à pâlir.

Loiselle fut désormais à Rousseau ce que Desrochers avait été à Bourassa, et davantage encore. Et c'est Desrochers qui avait fait le nécessaire pour qu'il fût investi de cette autorité.

Chantigny, plus ou moins actif à l'époque, remonta à la surface.

Loiselle et Chantigny sont les biographes officiels de Desrochers et leur livre, s'ils parviennent jamais à l'écrire, est censé révéler les dessous du pouvoir à Québec.

Le coup d'État de Loiselle fut consommé de façon dramatique et inattendue en janvier 1976 lorsque Saint-Pierre fut victime d'un accident d'équitation et succomba à ses blessures.

L'influence de Loiselle se fit sentir à une réunion d'urgence du C.I.O. à Innsbruck, en Autriche, durant les Jeux d'hiver. (Chaque fois qu'il était question de Montréal, tous les meetings du C.I.O. avaient un caractère d'urgence.) Le C.I.O. avait eu vent que le stade ne serait pas prêt à temps. Il était très inquiet naturellement et brûlait d'entendre la version officielle de Rousseau et de M. Victor Goldbloom, ministre responsable du chantier olympique. Au grand étonnement des participants, et surtout de Lord Killanin, Rousseau partit brusquement juste avant une séance importante afin d'aller assister au dîner-bénéfice annuel du Comité olympique allemand à Francfort.

L'ambassade canadienne à Bonn avait insisté pour que Rousseau ou quelque autre personnage important assiste au dîner parce que la mauvaise publicité dont le Canada était l'objet à propos des Jeux refroidissait l'intérêt des investisseurs allemands à l'égard d'autres projets. (En octobre 1975, le gouvernement du Québec avait convoqué une grande conférence occupant un hôtel entier en vue de stimuler les investissements de l'Allemagne de l'Ouest. Rien n'en avait résulté, sauf la promesse de la maison franco-allemande Didier d'établir une briqueterie dans l'est de Montréal.)

Rousseau avait quitté Innsbruck malgré les objurgations de Lord Killanin. À ses hôtes de Francfort, il dit que tout était sous contrôle au Canada et que la crise était réglée. À peine eut-il le temps de se rasseoir que le maître de cérémonie se leva pour communiquer aux convives un télégramme de Willi Daume, président du Comité, disant qu'il avait été retenu à Innsbruck afin de régler la crise de Montréal. Rousseau rougit.

Il s'était ridiculisé et il avait mis Daume dans l'embarras. C'est Loiselle qui lui avait intimé l'ordre d'aller au dîner et il avait bien été forcé de s'y plier puisque Loiselle était le patron.

Entre les Montréalais et les membres du Comité international olympique à Innsbruck, le torchon brûlait presque sans arrêt.

Le Comité n'avait invité que six personnes: Montréal envoya vingt-trois officiels qui ne se gênèrent pas dans bien des cas pour se faire accompagner par leur femme. La délégation dut se partager entre deux hôtels. Le patron de l'un des hôtels trouva bientôt à se plaindre aux autorités des Jeux des soûleries et de la turbulence de ses clients et s'inquiéta de savoir « qui allait payer tous les dégâts causés par leur vomi ».

Ce n'était pas du tout le genre de groupe auquel le maire

Jean Drapeau avait accoutumé les membres du Comité international. De fait, Drapeau avait voulu participer à la rencontre à titre officiel et avait envoyé un télégramme au C.I.O. pour demander une invitation. Le C.I.O. la lui refusa, présumément sur l'avis du COJO et du gouvernement de Québec.

Le premier jour, M. Goldbloom et quelques membres du COJO s'égarèrent et ne purent se rendre au stade à temps pour les cérémonies d'ouverture des Jeux. À leur arrivée, les athlètes avaient commencé à parader, les empêchant d'atteindre la tribune des officiels. M. Goldbloom ne s'en plaignit pas, même si sa femme fut un peu secouée dans la cohue.

Plus tard cependant, Son Excellence monsieur Roger Rousseau fit un terrible chahut sur la tribune des officiels et eut recours à un langage qu'il réserve d'ordinaire aux agents de police qui ont l'impudence d'ergoter à propos des crottes du chien de madame.

Sa colère provenait apparemment de ce que son carton d'invitation portait la lettre « G » qui, en vertu du règlement n° 48 du Comité international (le C.I.O. a des règles pour tout), le plaçait sur le même pied que les visiteurs de sang royal, les diplomates et les hauts fonctionnaires de l'État et le forçait à s'asseoir dans la section des grosses légumes, derrière les galonnés du C.I.O., les reporters, les juges, les athlètes et leurs entraîneurs, tous considérés comme ayant un intérêt plus direct dans les compétitions.

Rousseau menaça de faire interdire tous les officiels d'Innsbruck des Jeux de Montréal, voire de faire interdire le président de l'Autriche. Heureusement, Jim Worrall et quelques officiers du protocole intervinrent pour l'apaiser. Cette démonstration de fermeté de la part de M. Rousseau contribua sans doute beaucoup à redorer le blason de Montréal.

Le COJO ne fut souvent pas le mieux averti des petites questions de protocole international qui entourent un événement comme les Jeux Olympiques.

Jusqu'en 1960, il n'y avait qu'une seule délégation allemande aux Jeux Olympiques. L'Allemagne de l'Est avait tenté à plusieurs reprises de s'y faire admettre, mais Avery Brundage s'y était toujours opposé. Brundage finit par accepter à la condition que l'Allemagne de l'Est soit identifiée par le sigle

R.D.A. pour République démocratique allemande et l'Allemagne de l'Ouest, par les lettres ALL pour Allemagne. Tous s'y plièrent, mais le COJO ne laisse pas de se tromper et d'identifier les Allemands de l'Ouest par le sigle R.F.A. pour République fédérale allemande, soulevant d'interminables prises de bec.

Le COJO a d'autre part décidé de fermer les yeux sur la composition de la délégation vietnamienne. Le Sud-Vietnam a toujours été membre du C.I.O., mais le Nord-Vietnam ne l'était pas. Cette convention, bien entendu, est tombée avec la chute de Saïgon en 1975 et, à deux mois de l'ouverture des Jeux, la question n'était toujours pas réglée, d'autant moins qu'elle venait assez loin dans l'ordre des préoccupations du nouveau gouvernement du Vietnam.

Le COJO a parfois même semblé ignorer quelles épreuves faisaient partie des Jeux. Aux Jeux de Munich, les Allemands de l'Ouest avaient introduit la descente de rapides en kayak, mais l'épreuve fut supprimée des Jeux de Montréal parce qu'elle ne réunissait pas un assez grand nombre de concurrents. Le COJO néanmoins multiplia les démarches auprès de la Fédération mondiale de canoë pour obtenir les règlements de la descente en kayak. La Fédération répondit que les règlements n'étaient pas requis puisque l'épreuve n'aurait pas lieu. « Nous savons ce que nous faisons, insista le COJO, envoyez-les! »

Après la mort de Saint-Pierre, Michel Guay assuma provisoirement ses fonctions. Quelques mois plus tôt, il avait aussi succédé à feu Pierre Charbonneau à la direction des sports et sa nomination avait causé des frictions considérables à l'intérieur du COJO.

Guay, qui est âgé de quarante ans et qui ne manque pas non plus d'ambition, fut éventuellement nommé officiellement au poste de Saint-Pierre. La mort de Saint-Pierre, tout comme celle de Charbonneau, plongèrent le COJO dans un sérieux embarras. Les deux hommes étaient indispensables, Saint-Pierre parce qu'il avait la haute main sur à peu près tout et conservait la plupart des dossiers dans sa tête, et Charbonneau parce qu'il donnait une certaine vraisemblance au COJO en matière de sports.

Les dirigeants du COJO réagirent en engageant des consultants.

La consultation est un jeu auquel les organismes publics se laissent prendre facilement. Il n'est certes pas sans mérite de solliciter des avis de spécialistes de l'extérieur, mais trop souvent hélas! ça devient pour les hommes politiques une façon de se dérober à leurs responsabilités, d'atermoyer ou de dispenser des faveurs.

Le gouvernement fédéral illustre bien la rapidité avec laquelle se propage le chancre de la consultation. En 1973-1974, les vingt-neuf ministères du gouvernement fédéral disposaient d'un budget de $631 millions pour la consultation. En 1974-1975, le budget est passé à $981 millions et en 1975-1976, à $1,2 milliard.

Le COJO en vint de même à se reposer de plus en plus sur des consultants.

Il arrivait souvent qu'un consultant, dont les services avaient été retenus à grands frais, propose d'être engagé en permanence après avoir fait un examen sommaire de la situation et refile le travail à ses anciens partenaires, une fois en place.

Le COJO devint ainsi une véritable plaque tournante : les consultants y entraient comme dans un moulin, dégageaient le personnel régulier de ses tâches les plus onéreuses, se fourvoyaient et ressortaient aussi sec pour se faire remplacer par d'autres consultants. Les sommes dépensées en consultations sont difficiles à mesurer, d'autant que le COJO n'est guère plus loquace que les autorités de la ville de Montréal sur les menus détails de son budget.

Les fonctions se passaient de l'un à l'autre et la maison était en remue-ménage constant. Les démissions se succédaient à un rythme affolant malgré le niveau relativement élevé des salaires.

Ainsi, le COJO eut quatre directeurs du personnel sous l'autorité du chef de l'administration Ted Berthiaume avant de confier cette responsabilité à la maison Drouin, Paquin et Associés, qui reçut instruction de se rapporter directement à Guay.

Entrant un jour dans un restaurant du Vieux-Montréal, pas très loin de la permanence du COJO, le reporter Guy Pinard de *La Presse* tomba par hasard sur une fête d'adieu en l'honneur de l'un des membres du personnel de cadre.

Pinard s'enquit auprès du démissionnaire des raisons de son départ. Il lui répondit qu'étant professionnel, il ne pouvait se permettre de perdre son temps à témoigner devant une commission royale d'enquête sur les activités du COJO après les Jeux. C'était en 1974.

Il y en eut plusieurs qui, férus d'athlétisme et compétents à bien d'autres titres, allèrent travailler au COJO par amour des sports. Plus souvent qu'autrement, une fois qu'ils eurent épuisé l'engouement des premiers jours, ils se sentirent extrêmement frustrés.

Les épreuves sur piste des compétitions de l'été 1975 eurent lieu au nouveau centre d'entraînement du parc Kent, dans le quartier Côte-des-Neiges. Même enrichi de ses nouvelles installations de $2 millions, le parc a l'air plutôt modeste.

Au moment des compétitions, on se demandait encore si le stade olympique serait prêt à temps et c'est au parc Kent que les spécialistes du COJO durent vérifier leurs techniques et leurs appareils de chronométrage.

« C'est donc ici qu'on construira le stade olympique! » s'exclama en arrivant au parc le directeur du centre des résultats, John Weldon, prêté au COJO quelques mois auparavant par Statistiques Canada.

Incidemment, les spécialistes du COJO avaient estimé à $50 000 le coût de la tour qu'il fallait construire à la ligne d'arrivée de la piste du parc Kent. Le service des travaux publics de la ville de Montréal négligea leur avis et érigea la tour pour $8 000.

Le COJO et ses consultants trouvaient toujours moyen d'enfler les coûts de quelque manière. Les gens de l'aviron, cherchant un endroit où s'entraîner dans le fleuve, en trouvèrent un qui leur convenait près de l'île Charron et demandèrent au COJO des installations fort simples. Ils n'exigeaient que deux grandes tentes sous lesquelles abriter leurs embarcations en cas de pluie, une voie d'accès sommaire et un petit parc de stationnement recouvert de gravier.

Le bureau du COJO prit la demande en considération et pria la maison CAIM d'examiner le projet. CAIM proposa d'exécuter le travail elle-même pour $200 000, cinq fois plus cher que ce qu'avaient estimé les gens de l'aviron. Le bureau mit le projet au rancart. Puisqu'il n'y siégeait personne capable de défendre le point de vue des sportifs et de prouver que le projet pouvait être réalisé pour une fraction du devis estimatif des consultants, l'affaire tomba à l'eau et ne refit jamais surface.

Le seul service du COJO qui paraissait fonctionner efficacement était celui des revenus, administré par M. Gerry Snyder.

Le groupe de Snyder était chargé de vendre les Jeux. Il s'y employa avec une énergie et une habileté déconcertantes.

Il fit par exemple de Coca-Cola le pourvoyeur officiel de boissons gazeuses. Coke casqua $1,3 million pour ce privilège qui l'autorisait à utiliser le symbole olympique dans sa réclame et lui donnait un droit exclusif de vente sur les terrains des Jeux.

General Motors fournit 1 000 voitures et camions pour transporter les athlètes et leur équipement, Adidas fit don de 9 000 paires de souliers et de 6 000 uniformes. Xerox devint le photocopieur officiel des Jeux grâce au prêt de photocopieuses d'une valeur de $1,5 million.

Pour les compagnies dont les biens et services ne pouvaient être d'aucune utilité comme les distilleries et les banques, le groupe de Snyder imagina une forme spéciale de commandite.

« Nous offrons aux compagnies un castor en or, en argent ou en bronze pour $50 000 ou un flambeau en argent ou en bronze pour $150 000, dit Snyder. Les articles nous coûtent environ $150 pièce. Ils ne sont bons qu'à accrocher au mur quelque part dans le bureau du président. Nous leur disons aussi que le nom de la compagnie sera gravé sur une plaque au stade olympique. Les noms de tous les commanditaires apparaîtront par ordre alphabétique. »

La vente de ces brimborions rapportera, prévoit-on, $4 millions.

En outre, le COJO réussit à disposer de quantités de billets qui risquaient de ne pas se vendre. Chaque commanditaire avait droit d'acheter un lot de billets. Dans le lot, il pouvait y avoir, disons, 10 billets pour une épreuve de gymnastique, 10 pour une épreuve d'athlétisme et 400 pour un match de hockey sur gazon au stade Molson. Le COJO n'eut jamais pu espérer remplir autrement le stade Molson pour un sport qui a peu d'adeptes en Amérique. Mais si Coca-Cola, le Canadien Pacifique ou Wrigley, le fabricant de chewing-gum, voulaient obtenir les billets donnant accès aux épreuves d'athlétisme, on les forçait à acheter en même temps, les billets de hockey sur gazon.

Snyder et ses hommes parvinrent à récolter de cette façon plusieurs millions de dollars en argent, en services et en biens.

Au plus fort de ce colportage, le bureau de Snyder à la permanence du COJO prit l'allure d'un uniprix, regorgeant de babioles à l'emblème des Jeux: briquets, cravates, chaînes et porte-clés, cendriers, etc. Il n'y manquait qu'un de ces petits trucs de verre qui, à l'envers, aurait fait voir le stade olympique sous la neige.

C'est enfin Snyder qui conçut le plan d'autofinancement par excellence : il consistait à vendre tout le bataclan et une bonne partie de l'est de Montréal à des sociétés multinationales.

Il proposait de céder 2 000 acres de terrain, outre les 135 acres du parc olympique, à un consortium étranger, vraisemblablement saoudien-nippon, qui bâtirait une sorte de ville-modèle appelée la « cité olympique ». Le tout, qui comprenait les ateliers de réparation du Canadien Pacifique, le Jardin botanique, le reste du terrain de golf, le complexe olympique et les terrains industriels et résidentiels adjacents, aurait été vendu pour $720 millions, plus ou moins l'équivalent de la dette olympique.

Si la section des revenus du COJO se tirait assez bien d'affaire, ce n'était pas le cas des autres sections. Elles étaient si inefficaces qu'il fallut faire appel à l'armée pour redresser la situation.

D'abord chargés des mesures de sécurité, les militaires élargirent graduellement leur champ d'influence. L'invasion commença lorsque le lieutenant-colonel J. Long fut nommé officier de liaison et conseiller du COJO en matière de sécurité pour seconder les efforts de l'inspecteur Guy Toupin de la police de Montréal. Le service de sécurité apparut bientôt comme le plus rondement mené des services du COJO.

L'armée s'installa ensuite au service de l'informatique et prit charge des opérations avec 200 hommes, sous la direction de M. Robert Bérubé, brigadier-général à la retraite.

Le brigadier-général Bérubé, petit homme de cinq pieds et quatre pouces, ceinture noire de karaté, est le vrai type du soldat de métier, fier et conquérant, à la manière du général Patton.

Le service d'informatique faisait partie de la section de la technologie, ce qui mit Bérubé en contact étroit avec Michel Guay. Les deux hommes ne tardèrent pas à développer une vive inimitié. Bérubé parvint néanmoins à démêler le bordel qui régnait avant son arrivée.

En tout, l'armée fournit environ 5 000 hommes au COJO en dehors des services de sécurité. Le gouvernement fédéral mettait ainsi au service des Jeux une main-d'œuvre abondante et gratuite.

L'armée était impliquée dans les transports (tous les chauffeurs des voitures et des camions fournis par General Motors étaient des militaires), dans l'informatique, dans la planification et la logistique, dans les services d'infirmerie et même dans le protocole.

Les militaires commencèrent à arriver au COJO à la fin de 1974 et ils y étaient un an plus tard en nombre considérable. Des bus les déposaient aux divers bureaux du COJO depuis leurs camps à l'extérieur de la ville. Ils avaient instruction de porter leur uniforme en tout temps de manière à souligner la présence du gouvernement fédéral dans l'organisation des Jeux.

Y compris les services de sécurité, l'armée aura déployé quelque 16 000 hommes et femmes sur ce champ de bataille, faisant des Jeux sa plus importante opération depuis la guerre de Corée.

Mais même la présence des militaires ne put libérer le COJO du sort des dieux de l'Olympe.

À la fin de mars 1976, les services de sécurité entreprirent leur première manœuvre portant le nom de code « Exercice Olympe ». « Les gens ne devront pas s'étonner de voir circuler dans les rues plus de véhicules de l'armée et de voitures de police que d'ordinaire au cours des prochains jours », annonça le chef du comité de la sécurité publique des Jeux Olympiques.

Tandis que se déroulaient les manœuvres, des bandits armés d'un canon antiaérien ravirent un camion de la Brink's dans le cœur du quartier des affaires de Montréal et prirent la fuite avec $2,8 millions en comptant et en monnaie olympique.

CHAPITRE **5**

L'Opération Hermès

Hermès, dieu grec, messager des Olympiens. Fils de Zeus et de Maia. Ses attributions sont multiples : dieu du vol et du mensonge, patron des orateurs et des commerçants, inventeur des poids et mesures, des premiers instruments musicaux, il est aussi le dieu berger, le dieu de la santé.

Le Robert,
Dictionnaire universel
des noms propres,
page 592.

Quand la police décida de faire enquête sur le village olympique durant l'été 1975, elle donna à sa mission le nom de code « Opération Hermès ». Elle ne pouvait tomber plus juste.

Rien n'illustre mieux que l'histoire du village olympique la façon dont les Jeux furent conçus et organisés. Longtemps avant que les horreurs du stade n'attirent l'attention du public, le village olympique était déjà un sujet fort controversé. Ce fut le premier des projets olympiques à susciter de l'opposition. Mais s'en étonnera-t-on : l'intérêt public et la voix de la raison n'eurent pas le meilleur sur les faiseurs de projets et les entrepreneurs. Le projet avait été conçu à la hâte. Il était mal pensé et mal planifié, mais il répondait à un critère, le seul qui comptait, semblait-il : celui de la grandeur. Mieux encore, il traduisait le souci de symbolisme indéfectible du maire Drapeau puisqu'il s'agissait de deux pyramides.

En janvier 1974, une délégation de Montréal descendit à la Baie des Anges, sur la Côte d'Azur, où s'élève un complexe immobilier spectaculaire en forme de pyramides, œuvre de l'architecte André Minangoy. Le groupe, qui comprenait l'entrepreneur Joseph Zappia, de Montréal, se présenta au directeur des ventes du projet de la Baie des Anges, disant qu'il avait été sélectionné pour construire le village olympique. La démarche était pour le moins bizarre puisque l'appel d'offres pour le village olympique ne devait prendre fin que deux mois plus tard, le 1er mars. M. Minangoy dit que le groupe examina soigneusement les immeubles et prit force notes.

Un an et demi plus tard, une structure étrangement semblable à celle de Minangoy s'élevait dans un secteur du parc Viau, dans l'est de Montréal, sous la signature des architectes Roger D'Astous et Luc Durand, de Montréal. Dans l'intervalle s'était signé le contrat le plus inique dans l'histoire moderne du développement urbain au Canada et les coûts avaient grimpé de façon dramatique. Les constructeurs s'étaient fait garantir d'énormes profits dans des transactions hautement irrégulières qui ne manquaient pas d'estomaquer même les plus cupides des entrepreneurs. En août 1975, les dignitaires se réunirent pour célébrer le parachèvement des deux pyramides. Un petit arbre fut hissé au sommet. Quelques heures plus tard, un balcon du huitième étage se détacha et vint s'écraser sur les balcons inférieurs. L'enquête qui suivit révéla que le balcon et plusieurs autres avaient été mal ancrés.

Personne ne fut autrement surpris d'apprendre à la fin de novembre 1975 que la police faisait enquête sur toute l'affaire du village olympique.

La Sûreté du Québec et la Gendarmerie royale du Canada, flairant la fraude et la corruption, firent une quarantaine de perquisitions à la recherche de pièces à conviction. L'enquête se poursuivit jusqu'au printemps 1976, mais aucune accusation ne fut portée. Les autorités gouvernementales, craignant de s'exposer encore une fois aux critiques de la presse mondiale, s'arrangèrent pour reporter les poursuites judiciaires au lendemain des Jeux. Le village comme les autres installations olympiques n'avaient rien de commun avec le plan que Montréal avait soumis au Comité international olympique en 1970. La maquette originale dévoilée à Amsterdam faisait voir des immeubles plats juste à l'est du stade.

« En réalité, avait pris soin de dire M. Gerry Snyder, alors vice-président du comité exécutif de Montréal, nous n'avons pas décidé où nous bâtirons le village olympique. Il se peut qu'il ne soit pas du tout à l'endroit où il est situé sur la maquette. »

À cette époque, où il était encore question de Jeux modestes, le maire Drapeau avait indiqué que le village olympique servirait de prétexte à la construction de 4 000 unités d'habitation à loyers modiques pouvant loger 14 000 personnes. Le gouvernement fédéral, par l'entremise de la Société centrale d'hypothèque et de logement (S.C.H.L.) devait financer 95 p. 100 du coût d'achat des terrains et 75 p. 100 du coût de construction sous la forme de prêts remboursables sur 50 ans. Voilà qui correspondait bien à l'idée d'autofinancement des Jeux Olympiques.

En 1972, le maire Drapeau annonça que Montréal romprait avec la tradition de loger les athlètes au même endroit et les répartirait plutôt dans diverses zones de l'est de la ville où il y avait pénurie de logements. (L'idée du village unique avait été mise en œuvre pour la première fois à Los Angeles en 1932 et reprise un peu partout par la suite, sauf à Londres en 1948, à Helsinki en 1952 et à Tokyo en 1964.) Le projet souriait au directeur du service d'urbanisme de Montréal, M. Guy Legault, de même qu'à la plupart des urbanistes, des comités de citoyens et des groupements intéressés à l'habitation. Il ne semblait pas y avoir de meilleur moyen de faire en sorte que la population retire des avantages concrets des équipements requis par les Jeux.

Pendant des mois, l'administration rebattit les oreilles de la population de cette idée pour bien montrer qu'elle n'avait en tête que son intérêt. Il devint pourtant vite apparent qu'elle envisageait autre chose.

En août 1972, M. Lawrence Hanigan, membre du comité exécutif, rentrant d'un voyage à Munich où il avait visité le village olympique, fit savoir qu'il favorisait le concept du village unique parce que, disait-il, « il permet aux athlètes de races et de religions différentes de se rencontrer et de fraterniser ».

Une fois encore, on invoquait l'idéal olympique pour justifier une décision qui obéissait à des motifs d'un ordre beaucoup moins élevé.

La maquette du stade avait été dévoilée quelques mois plus tôt, mais l'administration semblait avoir du mal à arrêter les plans du village. Elle avait surtout du mal à concevoir un projet qui soit conforme aux conditions de financement d'habitations à loyer modique de la S.C.H.L.

Elle explora plusieurs projets pendant des mois. En septembre 1972, le président du comité exécutif, M. Gérard Niding, proposa deux villages, l'un pour loger les athlètes masculins et l'autre les athlètes féminins. Plus tard le même automne, le vénérable Avery Brundage, président honoraire du C.I.O., montra combien le comité était mal renseigné en déclarant que Montréal envisageait quatre villages : un pour les hommes, un pour les femmes, un pour la presse et un pour les entraîneurs et les instructeurs. « D'après ce que je comprends, dit-il, c'est ce qu'on projette. »

Gerry Snyder indiqua que le village s'élèverait à l'ouest du stade sur l'emplacement des usines Angus, les ateliers d'entretien du Canadien Pacifique. (Un commentaire qu'il fit à propos du village olympique de Mexico illustrait bien l'attitude de M. Snyder à l'égard de l'usage qui pourrait être fait ultérieurement de ces bâtiments: « Les Mexicains voulaient faire de leur village des habitations à loyers modiques, mais les immeubles étaient si réussis qu'ils n'ont pas eu besoin de le faire et qu'ils ont pu les vendre comme condominiums de luxe. »)

À la fin de 1972, le maire Drapeau confirma qu'il n'y aurait qu'un seul village. Il expliqua qu'il avait toujours supposé que Montréal devrait accueillir 15 000 athlètes comme à Munich mais qu'il venait tout juste d'apprendre qu'il n'en viendrait pas plus de 8 000. Il annonça en outre que le village serait construit par des entrepreneurs privés « de manière à ne pas être à la charge des contribuables ».

Le village finit par coûter plus de $70 millions aux contribuables, mais personne ne s'en doutait à l'époque. Les gens commençaient toutefois à soupçonner que l'administration se préparait à céder des terrains de choix qui appartenaient à la ville, près du stade. Juste au nord du stade se trouvait le parc Viau, qui comprenait le superbe Jardin botanique et un golf municipal de 36 trous, partagé en deux sections par la rue Viau. Le bruit courait que le village olympique serait construit sur le terrain de golf.

La rumeur donna naissance au mouvement de défense du parc Viau et au seul débat public qui ait jamais eu lieu sur tout projet relié aux Olympiques. Le débat engagea des comités de citoyens, des groupes d'hommes d'affaires, des écologistes, des urbanistes, des architectes, des activistes de tout acabit, des ministres du gouvernement provincial et même quelques conseillers du Parti civique, gens d'ordinaire dociles qui se contentent de rester cois et de partager le prestige du maire et de ses glorieuses réalisations.

Montréal souffre d'une pénurie grave d'espaces verts. Au cours d'une période de 17 ans, de 1956 à 1973, la ville a sacrifié 38 p. 100 de ses espaces verts à la construction d'immeubles et de routes et à l'aménagement de parcs de stationnement. Il était maintenant question d'amputer le parc Viau d'une portion de 85 acres.

Du début à la fin de l'aventure olympique, personne ne fut jamais consulté hors de l'entourage immédiat du maire. Il y avait un sentiment d'impuissance dans la population devant ces grands projets mis en œuvre par une machine obscure dont personne ne connaissait le fonctionnement, sinon qu'elle était actionnée par le maire. Les gens qui, d'instinct, s'opposaient aux Jeux Olympiques n'y pouvaient rien parce qu'ils ne savaient pas ce qui se passait. Tout se tramait dans le plus grand secret et si quelqu'un exprimait des réserves, on lui répondait aussitôt que tout allait pour le mieux dans le meilleur des mondes, que personne n'aurait rien à débourser et que tout se faisait dans l'intérêt du public. Ne sachant rien de ce processus mystérieux qui de temps à autre les plaçait en face d'un fait accompli, les Montréalais se sentaient légèrement perdus, incapables d'élever des objections ou de proposer des solutions de rechange.

Mais l'affaire du parc Viau était différente. Elle était claire et même si les décisions furent prises dans le secret, le débat se déroula sur la place publique.

À une réunion du conseil de ville en janvier 1973, le conseiller Jean-Paul Cloutier, du Parti civique, exigea de savoir si le village serait construit sur le terrain de golf. Le président du comité exécutif, M. Niding, stupéfait d'autant de témérité, accusa Cloutier de chercher à se faire du capital politique et refusa de répondre.

D'autres conseillers, appréhendant la perte du terrain de golf et cédant à la pression du public, organisèrent une pétition contre l'idée d'un village unique. En quelques jours, ils recueillirent 22 000 signatures. Après qu'on eut annoncé que le village serait en fait construit dans le parc Viau, d'autres conseillers firent circuler une contre-pétition appuyant le maire Drapeau.

Le débat déborda bientôt le conseil de ville. Les adversaires du projet proposèrent huit autres emplacements dans un rayon d'un mille et demi autour du stade et relancèrent l'idée d'un village fragmenté qui, de l'avis général, convenait davantage à la situation particulière de Montréal.

En juin, le ministre responsable de l'Environnement, M. Victor Goldbloom, se déclara contre l'amputation du parc Viau et en faveur d'installations temporaires. Il menaça même de suspendre l'aide financière que le gouvernement provincial devait accorder au projet par l'entremise de la Société d'habitation du Québec si le maire Drapeau refusait de changer d'idée.

Un sondage du quotidien *La Presse* révéla que 58 p. 100 de la population s'opposaient à l'emplacement du parc Viau tandis que 22 p. 100 appuyaient le maire.

Un plan du village transpira qui montrait que la rue Sherbrooke serait élargie, qu'une partie du Jardin botanique serait transformée en parc de stationnement et qu'un viaduc serait construit entre le stade et le village entraînant la disparition de 875 ormes et de précieux espaces verts.

L'intervention du public dans ce qu'il croyait être ses affaires fit rager le maire Drapeau. Il dénonça comme une « invention » le plan qui avait transpiré et accusa les adversaires du projet de confondre les termes et de monter une tour de Babel. « La vérité, c'est que le parc Viau n'est pas un parc. C'est un terrain de golf. J'ai habité toute ma vie dans le quartier et nous ne l'avons jamais considéré comme un parc », dit-il.

Il s'en fut ensuite à l'audience du comité de l'Assemblée nationale à Québec où il fit étalage de ses talents et de son style, fait d'arrogance et de mépris pour ses adversaires, d'intrigues et de conspiration.

Le maire soutint d'abord, à la défense de son projet du parc Viau, que puisque le village serait entouré de verdure et que le reste du terrain de golf de 18 trous serait transformé en parc familial, il se trouverait à augmenter plutôt qu'à réduire la superficie des espaces verts dans la ville.

M. Goldbloom tenta vainement de plaider pour des installations temporaires, voire pour un village flottant composé de trois ou quatre paquebots loués et amarrés dans le Saint-Laurent. Il tenta de convaincre le maire Drapeau de retourner devant le C.I.O. et de solliciter l'autorisation de fragmenter le village olympique. Le maire riposta qu'il était bien trop tard et que le ministre aurait dû y penser en 1969 lorsque le parc Viau avait été choisi et que l'administration de Montréal en avait fait part dans un mémoire aux membres de l'Assemblée nationale.

Le pauvre Goldbloom n'avait jamais entendu parler du mémoire, n'ayant été élu qu'en 1970. Personne, surtout pas le maire, ne se donna la peine de lui dire que le mémoire en question ne disait absolument rien du parc Viau, sinon que le village serait construit dans un rayon de deux milles autour du stade. Le maire venait de donner un exemple classique de la manière dont il pouvait tronquer les faits pour tourner une discussion en sa faveur. En outre, dit le maire, aucune ville au monde n'a fait autant que Montréal depuis 1860 pour préserver ses espaces verts.

Mais ce fut vraiment durant la pause du déjeuner quand il alla se balader discrètement avec le premier ministre Bourassa sur les Plaines d'Abraham que le maire emporta le morceau. À l'abri des impertinents dans leur grande limousine noire, les deux hommes firent un marché.

À son retour à l'Assemblée, le premier ministre convoqua

M. Goldbloom pour l'informer qu'il ne le secondait plus dans son opposition au projet du parc Viau. Le ministre de l'Environnement était foudroyé: il venait de se faire couper l'herbe sous le pied de la façon la plus humiliante. Dans quelques minutes, il devrait retourner devant le comité parlementaire sachant que son adversaire, le maire de Montréal, l'avait battu en coulisse.

Cet après-midi là, le maire Drapeau fut impitoyable. Perdant momentanément son vernis d'urbanité, il abîma M. Goldbloom d'injures et de sarcasmes, l'appelant « le ministre de la pollution ». Même les collègues de M. Goldbloom, le ministre des Institutions financières, M. William Tetley, et le ministre des Finances, M. Raymond Garneau, n'osèrent pas s'asseoir près de lui. « J'avais raison à propos de l'Expo 67, proclama le maire Drapeau, et vous verrez que ce sera la même chose à propos des Jeux de 1976. »

Le maire mystifia le comité en l'inondant de cartes, de documents, d'études et de statistiques que personne n'était en mesure d'absorber et encore moins de vérifier. Le premier ministre vint assister à la comédie, le temps de glousser d'un trait d'ironie dirigé contre son ministre, puis repartit quelques instants avant que le comité n'endosse avec enthousiasme le projet du maire. Les députés félicitèrent M. Drapeau d'avoir « dissipé la confusion ».

L'opposition, pourtant, ne se tut pas.

À la prochaine réunion du conseil de ville, en dépit d'un avertissement du maire Drapeau que « les Jeux devraient être annulés » à moins que le conseil n'approuve son projet de location du parc Viau à des entrepreneurs privés pour la construction du village, cinq conseillers — Georges Marchand, Paul-Émile Robert, Jean-Paul Cloutier, Adrien Angers et Jean Malouf — se prononcèrent contre le projet. C'était la première fois que des conseillers du Parti civique osaient contredire le maire. Marchand, Robert et Cloutier furent éventuellement expulsés du parti et du conseil comme prix de leur indépendance.

Fait non moins exceptionnel, le directeur du service d'urbanisme, M. Legault, enregistra aussi sa dissidence et se prononça en faveur d'installations temporaires réparties sur deux emplacements. À sa suite, vingt-sept des trente-quatre architectes, économistes, ingénieurs, planificateurs et démographes du service d'urbanisme condamnèrent pu—bliquement le projet, disant que l'emplacement du parc Viau était « trop éloigné des services communautaires essentiels au bon fonctionnement d'une zone urbaine ».

Au cours d'une émission de ligne ouverte à la télévision, le maire Drapeau répondit à un correspondant que le service d'urbanisme était responsable du choix du parc Viau.

Au début de l'automne, l'administration lança un appel d'offres pour la construction du village olympique, fixant la date limite au 1er mars 1974.

Dans l'intervalle, M. Goldbloom supplia une dernière fois le maire Drapeau de se rallier à l'opinion des planificateurs, du public, des spécialistes de l'environnement, bref, de presque tout le monde.

Le maire refusa catégoriquement dans une lettre qui se lisait en partie comme suit: « Vous pardonnerez sans doute au soussigné, qui est à la fois votre aîné et votre prédécesseur dans la vie publique, de vous dire sa conviction personnelle. Les efforts concertés de toutes les mouches du coche au monde ne sauraient faire bouger le bœuf de la fable ni planter un arbre. »

Ce ne fut pas le dernier affront du maire à la « mouche du coche » responsable de l'Environnement. Devant le comité parlementaire, le maire avait au moins promis que les grands ormes qui bordent la rue Sherbrooke seraient préservés. Au début de novembre, des équipes du service des travaux publics entreprirent d'abattre 125 ormes pour faire place au projet. « Je suis triste et découragé, dit M. Goldbloom aux journalistes, on ne m'a même pas prévenu... »

Le projet attira plusieurs entrepreneurs privés, même si les plus expérimentés entretenaient des réserves sur sa rentabilité en raison de son emplacement. Pas moins de cinquante-trois entrepreneurs versèrent les $100 de caution requis pour obtenir le cahier des charges. Il apparaît maintenant que les dés étaient pipés.

C'est vers cette époque que Joseph Zappia et ses associés

firent leur mystérieuse visite sur la Côte d'Azur. Selon l'architecte Minangoy, ils y retournèrent en mai après avoir téléphoné « six ou sept fois de Montréal pour prendre rendez-vous ».

« Je pense que c'était le directeur de votre village olympique qui se chargeait des arrangements », dit l'architecte. Le directeur du village olympique, M. Yvan Dubois, étant fonctionnaire du COJO, n'était absolument pas autorisé à collaborer à la soumission d'un entrepreneur privé.

Au jour fixé pour l'adjudication du contrat, le 1er mars, les autorités de la ville annoncèrent qu'elles n'avaient reçu aucune offre convenable et qu'en conséquence, les délais seraient prolongés indéfiniment. On n'entendit plus parler de date limite ni de soumission. Les quelques compagnies qui avaient fait parvenir leur proposition à l'hôtel de ville n'en eurent pas de nouvelles et certaines n'obtinrent même pas d'accusé de réception.

Il en fut ainsi, par exemple, d'un constructeur britannique qui avait dépensé quelque $400 000 sur une période de six mois pour la confection d'un plan qui n'entraînait pas d'autres investissements publics qu'un traitement de faveur pour l'achat des terrains et un loyer du COJO durant la période des Jeux. La compagnie fit tenir sa proposition au début de l'été 1973. Elle attendit vainement durant plusieurs mois (on n'eut même pas la courtoisie de lui faire parvenir un accusé de réception) et décida finalement de plier bagages, se jurant de ne plus jamais faire affaires au Québec.

Trizec, important entrepreneur de Montréal, propriétaire de la Place Ville-Marie, soumit les plans d'un village temporaire composé de roulottes et coûtant environ $10 millions. Marathon Realty, société immobilière du Canadien Pacifique, proposa de construire un complexe résidentiel et commercial sur les terrains des usines Angus, à proximité du stade, espérant obtenir en contrepartie l'autorisation de procéder à la réalisation de son projet de reconstruction de la gare Windsor. La faculté d'architecture de l'Université de Montréal soumit les plans d'un village temporaire qui furent fort bien accueillis par le public parce qu'ils avaient l'avantage d'être économiques et de préserver le parc Viau.

Enfin, le service d'urbanisme de la ville s'amena avec un plan détaillé proposant de faire usage des 7 500 lits des résidences universitaires de McGill et de Montréal. Le projet était modeste et hautement pratique, presque idéal puisqu'il n'impliquait pas de démolition ni de réduction des espaces verts.

Mais toutes ces propositions et ces belles suggestions aboutirent à la poubelle.

Entre temps, des délégations de Montréal se composant de fonctionnaires du COJO (notamment du vice-président Simon Saint-Pierre et d'Yvan Dubois), d'hommes d'affaires et d'architectes (dont l'un était à l'emploi de la ville), accompagnées quelquefois d'une comtesse de Paris, inspectaient les immeubles de la Baie des Anges. Le complexe fort attrayant comprend deux tours pyramidales, l'une de 17 étages et l'autre de 18, légèrement incurvées, s'élevant entre la montagne et la mer. Minangoy, lauréat du Conseil supérieur d'architecture de France pour ce projet, pensait bien être invité à tracer l'esquisse préliminaire du village olympique puisque les Montréalais manifestaient autant d'intérêt à son œuvre.

Les visiteurs, munis de calepins et de règles à mesurer, allaient dans les immeubles mesurant les portes, les planchers, les balcons et les plafonds, s'enquérant des matériaux et des techniques de construction. Luc Durand, l'un des architectes qui signèrent les plans du village olympique, alla même jusqu'à discuter avec Minangoy des moyens d'adapter son œuvre à Montréal.

Dans les bureaux du COJO, on disait en plaisantant que la Baie des Anges était le camp de vacances des hauts fonctionnaires de l'organisme tellement ils y allaient fréquemment.

Mais le public et le C.I.O., qui n'étaient pas au courant de ce va-et-vient, avaient l'impression que rien n'avançait. À Lausanne, les dirigeants du C.I.O. commençaient à s'inquiéter sérieusement du logement des athlètes. Le bruit courait aussi que le vélodrome, qui devait être terminé à temps pour les championnats mondiaux de cyclisme cet été-là, était très en retard et ne serait pas prêt.

Les autorités de la ville et du COJO étaient si cachottières à propos de leurs projets que les membres du Comité international, de l'aveu de l'un d'entre eux, durent s'abonner aux journaux de Montréal pour savoir ce qui se passait. Or, les journaux de Montréal, qui en savaient à peine plus long, ne faisaient que véhiculer les rumeurs les plus inquiétantes concernant le calendrier des préparatifs.

Vers la fin de juin, l'Hôtel de Ville publia l'ordre du jour de la session du conseil qui devait s'ouvrir le 28. Il contenait une cinquantaine d'articles, dont l'un était intitulé simplement « Olympiques » sans notes explicatives. Au début de la séance du conseil, le maire Drapeau annonça que le contrat du village olympique avait été attribué à un groupe appelé Les Terrasses Zaroléga Inc. Il n'avait jamais été question auparavant de la clôture de l'appel d'offres ni de l'existence de Zaroléga.

Le cahier des charges, qu'on disait provisoire mais qui ne fut jamais modifié, établissait que le village olympique devait compter 1 800 unités dans des immeubles ne dépassant pas 12 étages. Zaroléga proposait 932 unités partagées entre deux immeubles de 18 étages.

Les 932 unités étaient destinées à loger près de 12 000 athlètes, ce qui voulait dire qu'au moins 12 personnes devraient s'entasser dans les logements les plus spacieux comprenant deux chambres à coucher et que plusieurs athlètes devraient dormir dans les cuisines.

Le maire du village olympique, Yvan Dubois, se dit « fort heureux du projet parce qu'il répondait entièrement à toutes les conditions exposées à la ville par le COJO ». Simon Saint-Pierre ajouta qu'il s'agissait d'une bonne affaire « puisque les entrepreneurs allaient assumer tous les coûts ». Le projet se solda par une dette d'environ $80 millions imputée au COJO.

Même si les procédures d'attribution du contrat restent obscures, les raisons du choix apparaissent aujourd'hui un peu plus clairement. Le projet de la Baie des Anges convenait parfaitement au plan général du parc olympique. Le village olympique devait être différent du stade, mais non pas moins grandiose. Le concept de la Baie des Anges était à la fois nouveau et spectaculaire.

De toute évidence, les immeubles de la Baie des Anges avaient attiré l'œil de quelqu'un, peut-être même du maire Drapeau. À partir de là, le problème n'était plus de trouver le plan d'un village, mais un entrepreneur qui veuille exécuter le plan déjà choisi. Pour rester fidèle à la promesse de « n'engager aucun frais pour les contribuables », il ne semblait pas y avoir de meilleure formule que de confier la réalisation du projet à l'entreprise privée, qui profiterait de l'aide du gouvernement fédéral par l'entremise de la Société centrale d'hypothèque et de logement.

En cours de route, le maire Drapeau avait décidé qu'il voulait des immeubles de forme pyramidale. Si bien qu'il alla jusqu'à offrir de creuser un lac dans le parc Viau de manière que les immeubles soient incurvés « comme une femme » suivant le modèle original en bordure de la Méditerranée.

En d'autres termes, si Zaroléga ou son équivalent n'avait pas existé, il aurait fallu l'inventer. Ou peut-être serait-il plus juste de dire que Zaroléga n'existait pas et qu'on l'a inventé.

Zaroléga est une abréviation des noms des quatres partenaires de la compagnie : Joseph *Za*ppia, Gérald *Ro*binson, René *Lé*pine et Andrew *Ga*ty, qui forment un quarteron assez particulier.

Zappia, qui était âgé de 50 ans au moment de la transaction, sans conteste le plus grand coup de sa vie, est un homme flamboyant, peut-être trop flamboyant. Fils d'un immigrant calabrais, il est parti du bas de l'échelle dans l'industrie de la construction. Tout comme Roger Taillibert, il partage la passion du maire pour l'opéra (il caressait l'ambition d'être chanteur d'opéra dans sa jeunesse) et il est, comme le maire mégalomane. « Voilà un homme qui voit grand, comme moi, dit Zappia de Drapeau. Nous sommes sur la même longueur d'ondes. »

Il capta l'attention du public pour la première fois en 1970 lorsqu'il mit sur pied le Parti de Montréal en vue de faire la lutte au Parti civique de Drapeau à l'élection municipale. Un troisième parti était alors dans la course, le Front d'action politique (FRAP), qui était en quelque sorte le précurseur de l'opposition actuelle, le Rassemblement des citoyens de Montréal. Le Parti de Montréal ne parvint jamais à décoller, non plus que le FRAP, qui fut victime de la crise d'octobre et de la loi des mesures de guerre décrétée en plein milieu de la campagne électorale.

Zappia disparut de la scène presque aussitôt et ne refit

surface qu'une couple d'années plus tard comme porte-parole du groupe Zarolega.

Les partenaires de Zappia étaient tous des entrepreneurs de Montréal engagés dans divers projets domiciliaires.

Lépine est un homme pratique, plutôt mal équarri, qui n'est à l'aise que sur un chantier et dont le langage est truffé de jurons. Il a cependant des associés distingués en affaires comme Lorne Webster, de la célèbre famille de commerçants et d'éditeurs. Lépine et Webster sont tous deux propriétaires de la luxueuse maison de rapport Le Cartier, dans le centre de Montréal.

(L'oncle de Lorne, Howard Webster, éditeur du *Globe and Mail*, de Toronto, est propriétaire de l'hôtel Windsor de Montréal et, à ce titre, premier créancier du restaurant Le Vaisseau d'Or, du maire Drapeau, qui logeait dans le sous-sol de l'hôtel. Howard Webster est aussi associé au bras droit du maire Drapeau, M. Gerry Snyder, qui a participé aux pourparlers en vue d'obtenir une franchise de baseball des ligues majeures pour Toronto. Vulcan Investments, propriété de Webster, fait partie du consortium de baseball de Toronto avec la Brasserie Labatt et la Banque canadienne impériale de Commerce.)

Lépine se dit fort heureux de pouvoir construire le village olympique. « Dans l'entreprise privée, dit-il, nous ne pouvons nous permettre d'expérimenter. Nous ne pouvons le faire que lorsque nous bâtissons pour le gouvernement. »

Membre d'une famille de 10 enfants, qui tirait le diable par la queue, Lépine en était un autre qui avait réussi par la force de ses poignets. Apprenti dans l'industrie de la construction à l'âge de treize ans, il était déjà entrepreneur spécialisé dans la pose de tapis à dix-sept ans.

Robinson est un homme fougueux, qui vit dans une confortable maison des Laurentides et rougit d'embarras et de colère chaque fois que ses amis parlent du scandale du village olympique.

Andrew Gaty, ex-constructeur de bungalows qui débite le grec et le latin comme un curé, est l'intellectuel du groupe. Quand on l'interroge sur le village olympique, il gémit constamment et rappelle toutes ses nuits sans sommeil, ses problèmes...

Comment ce quarteron invraisemblable est parvenu à se réunir et à extorquer ce contrat encore plus invraisemblable reste un mystère, d'autant que le maire Drapeau ne s'est pas gêné par la suite pour le dénoncer.

Moins d'un an et demi après qu'il eut contribué à lancer le groupe Zaroléga dans cette aventure bizarre et hautement profitable, le maire devait dire: « Quand vint le temps de rédiger une entente qui devait être soumise à la ville, il n'y avait pas moyen de savoir rien de précis. »

Après la séance du conseil du 28 juin 1974, au cours de laquelle le contrat fut attribué, la maison Zaroléga se mit en frais de réunir le financement. Elle n'y parvint pas. La Société centrale d'hypothèque et de logement se retira du projet lorsqu'elle apprit qu'il s'agirait éventuellement de condominiums d'une valeur de $20 000 à $60 000. Du moins fut-ce la version de Zaroléga.

Durant quatre mois, Zaroléga chercha désespérément à recueillir les fonds. De fortes pressions furent exercées sur la Banque canadienne nationale pour qu'elle prête sur hypothèque, mais elle était très sceptique à l'égard du projet. Le devis de $30 millions pour un condominium de cette envergure dans cette partie de la ville était nettement irréaliste.

En outre, le plan, s'il seyait à la Côte d'Azur, était tout à fait inadapté aux rigueurs de notre climat. Le complexe comprenait deux pyramides jumelles de 18 étages, rectilignes et sans plan d'eau, donc beaucoup moins gracieuses que celles de la Baie des Anges. On devait avoir accès aux appartements par des promenades extérieures ouvertes à tous les vents, comme dans les immeubles de la Baie des Anges. La perspective d'une marche de 600 pieds le long d'un balcon du dixième étage au cœur de l'hiver n'était certes pas de nature à favoriser la vente des appartements. Enfin, presque le tiers des unités devaient être des garçonnières. Or, les studios se vendaient difficilement dans les condominiums du centre-ville. Comment pouvait-on espérer en vendre dans l'est de la ville à proximité des raffineries de pétrole?

Juillet, août et septembre passèrent sans que Zaroléga

ne parvienne à compléter le financement. Tout le monde, y compris le maire Drapeau, commença à s'impatienter. Le maire était entiché des immeubles et tenait à ce qu'ils soient construits. À la mi-octobre, exaspéré, il dit à un groupe d'hommes d'affaires qu'il lui importait peu que ce soit les adjudicataires ou d'autres qui réalisent le projet. « Il est une chose dont je puis vous assurer, dit-il, c'est que le projet sera réalisé à temps. »

Un an et demi plus tard, tentant de parer les coups, le maire se justifia, disant : « J'ai dit au COJO : si vous voulez continuer de faire affaire avec Zaroléga, prenez la responsabilité de construire le village. Quant à nous (voulant sans doute dire la ville), nous ne voulons plus avoir affaire à eux.

« J'ai même demandé à Zaroléga de se retirer du projet et de nous laisser travailler directement avec les architectes. »

Zappia propose une version légèrement différente des événements et dit que la ville encouragea Zaroléga après avoir rejeté son plan original.

« L'attitude des autorités de la ville à l'égard du village olympique était totalement irréaliste, dit-il, mais je savais qu'il faudrait bien que le projet se réalise un jour ou l'autre et que si je tournais autour assez longtemps, on m'offrirait des conditions plus avantageuses. »

Zappia avait raison. À mesure que le temps passait, la position de Zaroléga se renforçait et elle put bientôt imposer ses conditions. Les autorités de la ville et du COJO étaient au désespoir. Elles devaient présenter un plan définitif, avec financement, à la réunion du C.I.O. à Vienne à la fin d'octobre 1974.

Tandis que la délégation était en route pour Vienne, les négociations avec Zaroléga se poursuivaient à bord de l'avion. À Vienne, Yvan Dubois et les conseillers juridiques du COJO continuèrent de négocier, sans l'aide de spécialistes de la finance ou de la construction, durant la soirée précédant la réunion du C.I.O.

Tard dans la soirée, le commissaire général Roger Rousseau fit irruption dans la suite du maire Drapeau. « Dubois a signé! Dubois a signé le contrat! » dit-il, exultant.

Et quel contrat!

En vertu de l'entente, Zaroléga devait investir $4 millions ($2 millions sur-le-champ et $2 millions plus tard) dans le projet, dont le coût était désormais estimé à $33 millions. La Banque canadienne nationale devait prêter $18,4 millions sur première hypothèque garantie par la S.C.H.L. tandis que le COJO prêtait $10,6 millions sur deuxième hypothèque et se chargeait de tout le financement supplémentaire.

Les $2 millions que Zaroléga devait investir comprenaient ses frais de conception et de préparation du projet de sorte qu'il est difficile de dire combien de comptant elle eut à verser.

Sa faible mise de fonds ne l'empêchait toutefois pas de profiter généreusement de l'entente. Zaroléga devait toucher 12 p. 100 de commission de gérance sur les premiers $30 millions et 8 p. 100 sur le reste. Cette clause ne laissa pas d'étonner le milieu de la construction. Cinq pour cent de commission eussent été raisonnables et six pour cent généreux, pensait-on. Qu'il n'y ait pas de limite au montant à percevoir paraissait nettement prodigue.

Et puisqu'il s'agissait d'un entrepreneur privé exécutant un projet pour son propre compte, l'opportunité d'une commission de gérance était pour le moins discutable.

Non seulement le contrat permettait-il à Zaroléga de gonfler les coûts de construction, mais il l'encourageait à le faire. Plus l'entreprise dépenserait, plus elle ferait de l'argent. Et c'est précisément ce qu'elle fit.

En vertu d'une autre clause, Zaroléga n'était tenue de remettre qu'une partie des profits de location des cinq premières années. Le reste du prêt hypothécaire serait simplement effacé en 1982, abandonnant à Zaroléga la propriété pleine et entière d'un investissement de $80 à $90 millions moyennant le remboursement du prêt de la B.C.N. sur premier hypothèque. Le COJO n'avait aucun droit de saisie et ne pouvait espérer recouvrer même une fraction de son investissement. Zaroléga ne risquait absolument rien, sauf de faire fortune.

Les baux furent ratifiés par le conseil de ville à sa séance du 31 octobre 1974, la dernière avant l'élection du 10 novembre qui amena à l'hôtel de ville pour la première fois en 14 ans une opposition bien organisée.

Le 30 novembre, le maire Drapeau fut invité à lever la première motte de gazon du parc Viau pour inaugurer le chantier. Dès lors, les coûts se mirent à grimper. En très peu de temps, Zaroléga était parvenue à récupérer tout son investissement et à réaliser un profit substantiel grâce à sa commission de gérance tout en conservant la propriété des immeubles.

Peu de temps après l'ouverture du chantier, quelqu'un au COJO eut l'idée de demander à des consultants d'établir un devis estimatif. La part du COJO n'étant pas fixe, il pensa qu'il serait sage d'en avoir une idée approximative. Les Consultants en aéroports internationaux de Montréal (CAIM) révélèrent en janvier 1975, un peu plus d'un mois après le début des excavations, que le projet coûterait autour de $55 à $58 millions, sans compter les $10 millions de salaires à temps supplémentaire. Ils recommandèrent d'y renoncer.

Les gens du COJO étaient renversés, mais René Lépine les rassura, disant que le rapport n'était que de la foutaise. La facture pouvait s'élever à $45 millions, dit-il, mais certainement pas davantage.

Néanmoins, une commission parlementaire chargée d'examiner le coût des Jeux et présidée par nul autre que M. Victor Goldbloom se pencha sur la question du village olympique à la mi-janvier. Le contrat liant le COJO à Zaroléga lui apparut pour le moins singulier et elle recommanda qu'il soit renégocié.

« L'idée de renégocier le contrat ne me plaît pas, protesta Zappia. Il y a peut-être certaines clauses dont le COJO a raison de se plaindre, mais je ne pense pas que nous devions renégocier. Je suppose qu'il faudra quand même nous asseoir et discuter. »

Les représentants du COJO et de Zaroléga s'éclipsèrent pour la soirée et revinrent informer la commission le lendemain qu'ils s'étaient entendus en principe pour modifier le contrat.

Le nouveau contrat, qui ne fut jamais signé, comportait

d'importants changements. Il limitait le calcul de la commission de gérance aux premiers $50 millions, prévoyait le remboursement du prêt du COJO sur une période de 38 ans et contenait une clause échappatoire de rachat des immeubles par le COJO.

Une clause de dépréciation restait en vigueur qui permettait à Zaroléga de ne rien rembourser et n'autorisait pas de saisie de la part du COJO ou de son successeur (le gouvernement provincial) avant l'année 2014. La dette, capital et intérêts, s'élèverait alors autour de $2 milliards, d'où la nécessité d'une clause échappatoire.

La clause, en vigueur jusqu'à la fin de 1977, permettait au COJO de racheter Zaroléga en payant $5 millions comptant, en plus d'une commission de gérance de $10,2 millions. En d'autres termes, le COJO devrait verser une somme de $5 millions pour reprendre le contrôle d'immeubles en grande partie financé par lui.

Le nouveau contrat épargnait aussi à Zaroléga l'obligation d'investir sa deuxième tranche de $2 millions.

Le contrat, dans ses deux versions, n'étonnait pas moins les spécialistes que les profanes. Un entrepreneur à qui on demandait combien de temps il lui faudrait réfléchir avant d'accepter un contrat pareil répondit à brûle-pourpoint: « Combien de temps faut-il pour compter jusqu'à un? »

Après le rapport du CAIM, le COJO décida qu'il ferait mieux lui aussi d'apprendre à compter.

Au début des travaux de construction, le COJO avait affecté deux de ses employés à la surveillance des contrats, mais ni l'un ni l'autre à plein temps.

Avant les audiences de la commission parlementaire à Québec, Eugène Corriveau, l'un des employés du COJO, voulut intenter des procédures contre Zaroléga parce que la compagnie avait omis de produire un devis estimatif, le plan final et le calendrier des travaux. Yvan Dubois et Simon Saint-Pierre intervinrent auprès de Corriveau pour l'en dissuader.

Les méthodes de travail de Zaroléga la rendaient aussi suspecte. L'un des employés du COJO rappelle qu'il se sentait toujours dans le chemin. « Les gens arrêtaient de parler ou changeaient de sujet quand j'entrais dans le bureau, dit-il. Ils refusaient de parler au téléphone devant moi. »

Zaroléga avait en effet ses petites combines.

En janvier 1975, de fabuleux contrats de $5 millions furent adjugés à deux sous-traitants, Dominic Supports and Forms Ltd. et Formco-N.A.F. Ltd., pour l'érection des structures. À l'époque, on estimait qu'il faudrait un an pour effectuer les travaux, mais on promit aux entrepreneurs une prime de $7,500 par jour s'ils étaient complétés avant terme. Il n'en fallait pas plus pour encourager les deux entrepreneurs à rouler à tombeau ouvert. Ils engagèrent des masses d'hommes et réussirent à terminer les travaux avec six mois d'avance, ce qui leur valut $4 millions de prime.

En février 1975, le COJO engagea une maison d'ingé-nieurs-consultants, Hanscomb-Roy, pour surveiller le chantier. Elle se prit aux cheveux dès le départ avec Zaroléga en insistant pour que les contrats fassent l'objet d'appels d'offre. Elle dénonça aussi certains des contrats négociés par Zaroléga, comme l'achat de panneaux précontraints de Profac Co. Ltd. pour $4,25 millions. En marchandant un peu, elle parvint à faire baisser le prix à $3,3 millions, épargnant $950 000 au COJO. Une commande de tuiles céramiques fut réduite de $1,2 million à $916 000.

Zaroléga continua néanmoins de viser au plus cher puis-qu'elle avait davantage à gagner en gonflant les coûts tandis que Dominic et Formco donnaient la chasse aux primes.

En théorie, un immeuble se construit étage par étage. Les formes et les vérins qui soutiendront les étages supérieurs ne sont mis en place qu'une fois que le béton de l'étage infé-rieur s'est durci. Cette procédure étant un peu trop lente à leur goût, les deux entrepreneurs décidèrent d'innover et d'installer leurs vérins sur le béton humide. Les dommages qui en résultaient faisaient l'affaire de tout le monde: Dominic et Formco empochaient leurs millions et Zaroléga pouvait distribuer d'autres contrats qui augmentaient encore les coûts et sa commission.

D'autre part, il est plus difficile de polir des planchers de béton lorsqu'ils sont secs que lorsqu'ils sont humides. Lorsque le béton est humide, le travail coûte environ 10 cents le pied carré et lorsqu'il est sec, 95 cents. Tous les planchers ont donc été polis lorsqu'ils étaient secs. La charpente fut complétée bien avant terme, mais on ne se donna pas la peine de suivre un plan de travail. Ainsi, bien des opérations qui auraient pu être faites simplement, de façon répétitive et à peu de frais comme de percer des trous pour les canalisations d'eau et d'électricité furent faites après coup, individuellement, de manière à gonfler davantage les coûts.

Le manque de coordination était criant. Normalement, on s'arrange pour convoquer la main-d'œuvre au moment où seront livrés le béton et les matériaux. Au village olympique, il était courant de voir deux ou trois cents hommes rentrer au travail et attendre des heures, des jours et jusqu'à une semaine l'arrivée des matériaux. Dans l'intervalle, les coûts continuaient de grimper.

Les ingénieurs de Hanscomb-Roy tentèrent d'y mettre de l'ordre et assumèrent graduellement une part de plus en plus grande de l'administration et de la coordination sur le chantier, mais le mal était déjà fait.

Une de leurs toutes premières interventions eut pour résultat de mettre fin à une pratique courante qui consistait à faire passer des camions chargés de matériaux par une barrière, de les faire sortir par une autre et de les faire entrer de nouveau par une troisième. Le même chargement pouvait ainsi être facturé deux ou trois fois : personne n'y prenait garde puisque l'important était d'accumuler des factures. Le pillage sur le chantier était un autre problème sur lequel Zaroléga fermait gentiment les yeux. « Quand même on volerait $200 000 de matériaux sur un chantier, dit un jour Lépine, c'est pas la fin du monde! »

En vue toujours de réduire les coûts, Hanscomb-Roy refusa d'autoriser le paiement des primes de temps supplémentaire pour le travail du samedi. Les sous-traitants décidèrent de les acquitter eux-mêmes, sachant bien qu'ils seraient largement compensés au bout du compte.

À la fin d'août, l'ossature des deux immeubles était en place. Les dignitaires de la ville et du COJO se réunirent pour inaugurer la deuxième phase des travaux et le balcon du huitième faillit leur tomber sur la tête.

Un mois plus tard, les journalistes furent convoqués d'urgence à une conférence de presse dans la grande salle de la permanence du COJO, au vieux Palais de justice, près de l'hôtel de ville. Dans la matinée, la Sûreté du Québec et la Gendarmerie royale du Canada avaient effectué une série de perquisitions au domicile et dans les bureaux des quatre partenaires de Zaroléga, chez Simon Saint-Pierre et chez plusieurs entrepreneurs associés au village olympique comme Formco et Dominic. Roger Rousseau et Simon Saint-Pierre voulaient communiquer aux journalistes leur version des événements.

(La grande salle de conférence était la grande salle de cour du temps où l'immeuble servait de Palais de justice. Curieuse coïncidence, c'était dans cette salle que le jeune avocat Jean Drapeau s'était fait une réputation vingt ans auparavant comme procureur de la Commission d'enquête Caron sur la moralité.)

« J'espérais que l'affaire puisse être traitée discrètement, dit Rousseau le diplomate, mais de toute manière, nous n'avons rien à cacher, autant que je sache. »

Paradoxalement, l'enquête s'était déroulée sans le concours de la police de Montréal bien qu'elle eût été déclenchée par deux de ses agents tombés par hasard sur des transactions douteuses concernant l'achat de roulottes qui devaient être utilisées sur le chantier.

Les agents avaient commencé à faire enquête, mais ils avaient dû interrompre leurs recherches quand leurs supérieurs leur avaient dit qu'il n'y avait pas matière à poursuite. Leurs supérieurs en avisèrent les dirigeants du COJO et les agents, frustrés, refilèrent leur dossier à la Gendarmerie.

L'enquête de la Gendarmerie et de la Sûreté s'étala sur plusieurs mois. Leurs comptables, leurs avocats et leurs spécialistes de la fraude passèrent à travers des tonnes de documents saisis au cours des perquisitions de novembre et de perquisitions ultérieures.

Lorsque l'enquête fut rendue publique, Zappia, plutôt que de s'esquiver, annonça son intention de poser sa candidature à la direction du Parti progressiste-conservateur bien qu'il ne fût pas réputé militant du parti.

L'enquête plongea dans l'embarras l'Hôtel de Ville, le COJO, le gouvernement provincial et les autres partenaires de Zaroléga, mais non pas Zappia. Il contracta, au contraire, la manie de la publicité, se mit à convoquer des conférences de presse, à faire des déclarations et à engager des querelles juridiques avec le Parti progressiste-conservateur qui n'accueillit pas très chaleureusement l'annonce de sa candidature.

Voyant son bulletin de nomination rempli d'irrégularités, le bureau du parti rejeta sa candidature et les procureurs de Zappia déposèrent aussitôt une requête d'injonction en cour supérieure de l'Ontario pour faire interdire le congrès.

Le village n'était pas le seul intérêt de Zappia dans les préparatifs des Jeux.

Quelques semaines avant les perquisitions de la police, il avait accompagné le ministre des Postes, M. Bryce Mackasey, à une conférence de presse en vue de lancer une nouvelle collection de reproductions métalliques des timbres-poste olympiques. Les répliques — en or, en argent et en bronze — sont enchassées dans l'acrylique et se vendent de $5 à $750.

Les timbres sont distribués par la Société industrielle des plastiques Inc., une autre compagnie de Zappia particulièrement comblée par le COJO. Par l'entremise du service de M. Gerry Snyder au COJO, Zappia était autorisé à distribuer des chemises, des horloges, des porte-clés et une variété d'autres babioles portant l'emblème des Jeux.

Un contrat lucratif de fabrication et de distribution de médaillons-souvenirs en bronze fut adjugé à une autre compagnie de Zappia, Suissecon Watch Ltd., malgré les protestations de cinq autres soumissionnaires — Lombardo Mint, Franklin Mint, Sherritt Mint, Jacques-Cartier Mint et Polytherm Packaging Inc. — qui dirent tous avoir été embobinés par le COJO.

Les compagnies se plaignirent « d'irrégularités » et dirent avoir été « mal renseignées par le COJO » de sorte qu'elles ne purent présenter d'offres conformes au cahier des charges. Elles ajoutèrent que Gerry Snyder avait refusé de discuter avec elles du projet de médaillons, insinuant que la compagnie suisse dominée par Zappia était avantagée dès le départ en raison de ses relations.

Plus Zappia faisait d'affaires avec le COJO, plus il était imbu de l'esprit olympique. Le 30 octobre 1975, Zappia rentrait d'Iran en même temps que le premier ministre Robert Bourassa et faisait savoir qu'il était en pourparlers avec les autorités du pays en vue de la construction du village olympique aux Jeux de 1984 à Téhéran.

Au cours des mois qui suivirent, Zappia fit la navette entre Montréal et Téhéran, sollicitant des contrats de construction de route et colportant ses bibelots olympiques. Il trouvait l'Iran, où le grandiose et les billets de banque vont de pair, fort à son goût. « Ces gens-là raisonnent comme Drapeau », dit-il à l'un de ses amis.

L'enquête sur le village olympique et le tapage dont elle fut l'objet dans la presse mondiale, en même temps que le flair de Zappia pour attirer l'attention, étaient une source de confusion et d'embarras dans le milieu olympique.

Le torchon semblait brûler entre les partenaires de Zaroléga. Les trois plus discrets se mirent à dénigrer leur collègue Zappia. Gaty dit que Zappia, bien que président de Zaroléga, n'était en réalité qu'un agent de relations publiques et que c'était lui, Gaty, le véritable génie derrière le village. Lépine revendiqua lui aussi tout le mérite du projet à titre d'expert de la compagnie en matière de construction.

Zappia refusait de s'en laisser imposer. « Je suis celui qui y ai pensé le premier, dit-il à un journaliste. Je suis celui qui ai négocié l'entente. Je suis donc l'homme clé du projet. Comprenez-vous? »

Ce que tout le monde comprenait d'emblée, c'était qu'il fallait désormais prendre ses distances par rapport à Zaroléga.

Le maire Drapeau entreprit de critiquer le groupe publiquement et dit qu'il avait toujours entretenu des réserves à son égard. Le chef du COJO, M. Roger Rousseau, fit mine de se laver les mains de toute l'affaire, disant: « Si j'avais prévu tous ces problèmes, vous pensez bien que je n'aurais pas hésité à tourner le dos à Zaroléga ».

La police de Montréal, gênée d'avoir été exclue de l'enquête, chercha gauchement à se justifier. Elle dit que la Gendarmerie s'en était mêlée parce que la Société centrale d'hypothèque et de logement, agence fédérale, avait engagé des fonds dans le projet. Elle nia avoir été écartée parce qu'elle s'était permis de vendre la mèche aux autorités du COJO.

La Sûreté provinciale dut se défendre plusieurs fois contre l'accusation de céder à des pressions politiques en ne portant pas d'accusation à la suite de l'enquête. Le dossier était complet dès le mois de mars, selon des informateurs de la police, mais ordre avait été donné de ne rien faire avant les Jeux. On estimait que les Jeux de Montréal avaient déjà trop mauvaise presse et qu'ils risqueraient de ne pas se remettre d'un scandale de cette envergure.

En mars, les tuiles commencèrent à tomber sur Zaroléga. L'un de ses sous-traitants, Formco, poursuivit la compagnie pour $1 059 493, solde impayé de sa facture de $8 millions. Zappia fut l'objet d'une autre poursuite de $1 million, émanant d'une autre de ses entreprises.

Québec, cherchant à tirer son épingle du jeu, décida de s'emparer du projet au mépris du contrat qui liait Zaroléga et le COJO.

Le groupe Zaroléga convoqua une conférence de presse — d'où Zappia était notablement absent — pour dire que le gouvernement ne pouvait prendre en main le projet puisqu'il venait de signer un nouveau contrat avec le COJO. Rousseau démentit vivement tout bruit de nouveau contrat et continua à se laver les mains de toute l'affaire.

Au début du printemps, Gaty, Lépine et Robinson entreprirent des recherches frénétiques pour retrouver Zappia. Durant cette période cruciale d'un mois pendant laquelle Québec avait fait le nécessaire pour exclure Zaroléga du village en rachetant ses titres de propriété, Zappia était tout bonnement disparu de la circulation.

Finalement, au début d'avril, une centaine de jours avant l'ouverture des Jeux Olympiques, un projet de loi fut déposé à l'Assemblée nationale en vue d'exproprier le village pour la somme de $2 millions initialement investie par Zaroléga.

« On nous confisque, rien de moins! » protesta Andrew Gaty, en se lamentant aux journalistes d'avoir sué, peiné et passé bien des nuits blanches dans cette entreprise.

« Et tout ça pour quoi? Huit ou neuf millions de dollars de commission tout au plus! »

CHAPITRE 6

La bande de Bromont

« Il faut savoir où sont les portes et quelles sont celles qui s'ouvrent. Cela ne s'applique pas seulement à la politique, mais aux affaires en général. Quand vous achetez une robe ou un chapeau, vous voulez connaître le commis... Je ne vois pas pourquoi il en serait autrement quand il s'agit des politiciens. Ce sont nos employés et nous devons connaître nos employés. »

Roland Desourdy,
dans une interview à l'émission
Fifth Estate, Radio-Canada, 1975.

Le planning et la construction des installations olympiques fleuraient l'esprit de clan et de petite chapelle. Au cœur de l'affaire se trouvait l'une des familles les plus influentes du Québec, la famille Desourdy, dominée par son doyen, Roland.

Les Desourdy opèrent à partir de Bromont dans les Cantons de l'Est, une cinquantaine de milles au sud-est de Montréal. La famille, d'origine italienne (l'ancêtre s'appelait Dejordy), se compose de neuf frères et d'une ribambelle de femmes, de fils, de filles, de gendres et de brus. Elle domine la région de Bromont un peu comme les grandes familles bourgeoises régnaient sur les petites villes du sud des États-Unis dans les années 30.

Deux des frères Desourdy sont prêtres. Les sept autres ont pris en main une entreprise de construction que leur a léguée leur père et en ont fait l'une des plus importantes au Canada, exécutant des travaux de grande envergure dans le Québec et les Maritimes. Elle a participé notamment à la construction des barrages de Churchill Falls et de la baie James, de Fort Chimo et de centaines de milles de route et d'autoroute. Aujourd'hui, l'empire des Desourdy comprend 82 compagnies, presque toutes engagées dans la construction.

Les frères Desourdy ont compris que, pour faire fructifier la fortune familiale, il était nécessaire d'entretenir de bonnes relations politiques. Germain est maire de Bromont, qui appartient presque tout entière à la famille. Roland fut durant dix-neuf ans maire de Cowansville, où la famille possède aussi d'importants intérêts. Un troisième frère fut un temps maire de Chambly, sur la rive sud du Saint-Laurent, en face de Montréal. Il était inévitable qu'un projet de l'envergure des Jeux Olympiques implique la famille Desourdy de mille et une façons. Les entreprises de la famille ont collaboré, sous une forme ou une autre, à tous les ouvrages olympiques. La famille faisait partie d'un consortium auquel fut attribué le plus important contrat olympique, celui de la construction du stade, d'une valeur de plus de $650 millions. Les compétitions équestres auront lieu sur les terrains de la famille à Bromont. Ce sera la première fois dans l'histoire des Jeux Olympiques que des compétitions se déroulent sur un domaine privé.

Au chantier olympique, le personnel et le matériel des Desourdy étaient partout. Les grues Desourdy donnaient au chantier l'allure d'un champ de pétrole. Des camions Desourdy allaient et venaient, chargés de matériaux achetés des Desourdy. Et des gérants, des ingénieurs et des dessinateurs des entreprises Desourdy vérifiaient les bons de livraison, les factures et les plans. Le nom de Desourdy n'était pas moins en évidence que l'emblème des Jeux Olympiques.

Roland Desourdy a livré dans cette interview de radio citée en exergue la clé du succès de la famille. Elle connaît bien ses employés, les politiciens.

Avant même que l'aventure olympique ne démarre, Roland Desourdy était en rapport avec tous les hommes importants du Québec. Il fut l'un de ceux qui prirent part aux séances de réflexion philosophique sur la dimension sociale des Jeux au Club Canadien. Il connaissait les gens du COJO, ayant fait affaire avec plusieurs d'entre eux.

Plusieurs des membres de la caste qui dominait les Jeux étaient de fréquents visiteurs à Bromont ou y avaient des maisons. Peut-être les plus grands bénéficiaires des Jeux seront-ils en définitive les Désourdy et leurs amis: la bande de Bromont.

Les Desourdy ont fondé Bromont au début des années 60. Avec les hommes d'affaires montréalais Marc Carrière et Charles (Jack) Jackson, ils ont acheté presque tout le village de West Shefford, petite colonie loyaliste dans la région vallonnée des Cantons de l'Est.

En 1964, West Shefford et une partie des cantons voisins de Brome et de Shefford fusionnèrent pour former la ville de Bromont. L'opération était légèrement irrégulière puisque la loi des cités et villes du Québec stipule qu'une ville doit compter au moins 2 000 âmes. Bromont était loin d'être aussi peuplée : l'ancien West Shefford comptait à peine 500 âmes. Le ministre des Affaires municipales de l'époque, Pierre Laporte, ami de la famille, accepta de faire une entorse à la loi.

Peu de temps après, Laporte acheta une maison dans la région.

Le nom de Bromont avait été emprunté à une entreprise de la famille, Bromont Inc., qui le devait elle-même à une colline où les Desourdy étaient en train d'établir un centre de ski. Germain Desourdy devint maire de la nouvelle ville.

Les Desourdy entreprirent de développer Bromont par une série d'annexions et une politique agressive qui visaient à en faire un grand centre industriel et récréatif. Le gouvernement fédéral dota la ville obligeamment d'un aéroport avec une piste de 6 000 pieds capable de recevoir des avions à réaction. L'aéroport fut aménagé sur les terrains des Desourdy et ce sont eux qui exécutèrent les travaux. Le gouvernement provincial, de son côté, fit passer par Bromont le tracé de l'autoroute des Cantons de l'Est et lui accorda deux sorties alors que des villes bien plus importantes le long de l'autoroute n'en eurent qu'une. Encore une fois, les entreprises de la famille Desourdy exécutèrent les travaux.

Les Desourdy profitèrent de cette période de prospérité pour acheter tous les terrains de Bromont, y compris les terres nouvellement annexées.

« Une couple de cultivateurs refusaient de vendre, dit le maire Germain Desourdy dans une interview à la *Gazette* de Montréal en 1970. Nous leur avons dit tout simplement que s'ils n'acceptaient pas nos conditions, nous allions les exproprier.

« Ils ont réglé sur-le-champ! »

Les cultivateurs furent ainsi forcés de vendre leurs terres pour faire place aux projets des Desourdy, qui comprenaient entre autres un parc industriel.

Le parc industriel ne tarda pas à être rentable. I.B.M. y établit bientôt une fabrique de circuits électroniques d'une valeur de $21 millions sur un lot acheté aux Desourdy grâce à un octroi de $6 millions du ministère fédéral de l'Expansion économique et régionale.

Le secteur récréatif de Bromont se développait aussi rapidement. Dès 1970, les écuries des Desourdy étaient remplies de pur sang et leurs étables de Black Angus. Le club de golf était déjà achalandé de même que les trois pentes de ski et la piste de motoneige.

Bromont commençait à attirer des gens qui avaient à la fois des moyens et des relations. Robert Boyd, président de la Société de développement de la baie James, acheta une ferme dans la partie annexée d'Adamsville, de même que Claude Breton et Laurent Beaudoin, de la société Bombardier, l'inventeur de la motoneige qui fabrique maintenant des wagons de métro. (La société détient le contrat de fabrication des rames de métro qui devaient être mises en service sur la ligne menant au parc olympique, mais elle n'a pu livrer le matériel à temps en raison des arrêts de travail à son usine de La Pocatière.)

En septembre 1973, Gérard Niding, président du comité exécutif de Montréal, décida qu'il était temps d'emménager à Bromont et il acheta un lot des Desourdy, versant $7 208.50 à Bromont Inc. et $1 791.50 à Desourdy Inc.

Le lot avait déjà un lourd passé. Le 12 juin 1965, il avait

été vendu par Bromont Inc. à Madeleine Favreau-Desourdy. Elle l'avait revendu le 18 décembre à Patrick Cullen, homme d'affaires de Montréal et membre du conseil de ville de Bromont que dominent les Desourdy. Cullen le revendit à Madeleine Favreau-Desourdy un peu plus de cinq mois plus tard, le 31 mai 1968. Elle le céda le 29 juin à Bromont Inc. qui le vendit finalement à Gérard Niding le 18 septembre 1973.

Celui qui fit office de notaire dans toutes ces transactions était un certain Raymond Boily, camarade de collège du premier ministre Robert Bourassa et de M. Jean-Noël Lavoie, président de l'Assemblée nationale. Établi à Cowansville au début des années 60, Boily y a amassé lentement, péniblement, un pécule qui dépasse aujourd'hui le million.

Aussitôt après avoir acheté son lot, Niding retint les services de l'architecte Charles-E. Charbonneau, de la maison Bédard et Charbonneau, pour lui tracer les plans d'une maison. Il n'était que naturel qu'il s'adresse à lui puisque Charbonneau lui avait déjà construit une maison sur une ferme qu'il avait achetée dans la région de Bromont en 1969. Niding avait payé $8 000 pour cette propriété avec une hypothèque portant intérêt à sept pour cent. Trois ans plus tard, il l'avait revendue $65 000 comptant à quelqu'un qui la vendit plus tard pour $42 500 avec une hypothèque portant intérêt à six et demi pour cent.

La nouvelle demeure de Niding est une luxueuse maison de grès comprenant une piscine intérieure, bâtie en flanc de montagne et donc avec une vue superbe sur la région de Bromont. On en a estimé le coût entre $150 000 et $200 000 dollars. Elle fut construite par Lecavalier Construction, entreprise qui se spécialise dans le bâtiment commercial et ne touche que rarement à la construction domiciliaire.

Claude Lecavalier dit qu'il ne savait pas que la maison était destinée à M. Niding jusqu'à ce que l'auteur de ce livre soulève la question au conseil de ville de Montréal. Il dit avoir été payé par un tiers, qui n'était ni M. Niding ni l'un des Desourdy. Les travaux d'excavation furent exécutés par des hommes de Desourdy, qui étaient en train de construire un chalet d'ami près du centre d'équitation des Desourdy.

L'architecte Charbonneau acheta lui aussi un lot en face de chez Niding et s'y bâtit.

Peu de temps après, le comité exécutif de Montréal présidé par M. Niding décerna sans appel d'offres deux gros contrats olympiques à la maison Bédard et Charbonneau. Un peu plus tard, il attribua le plus gros contrat de tous, celui du stade, aux Desourdy. À cause de la complexité et de l'envergure du projet, Desourdy partagea le contrat avec un autre gros entrepreneur québécois, Charles Duranceau.

Le contrat, à prix variable, leur garantit un profit de $9 millions, plus une prime d'un million de dollars si le stade est livré à temps.

L'attribution, l'une des plus riches dans l'histoire de la construction au Canada, ne manqua pas de surprendre bien des gens, y compris les directeurs de deux compagnies qui pensaient mettre la main sur l'affaire à la suite d'une entente secrète avec Desourdy.

Roland Desourdy avait conclu un pacte, semble-t-il, avec les sociétés Simard-Beaudry et Dumez (Canada) Ltée, filiale de l'une des plus grandes entreprises de construction de France. Dès mai 1972, les trois compagnies s'étaient mises d'accord pour se partager le gâteau. Elles avaient signé une série d'ententes, désignant Roland Desourdy à la tête du groupe et lui confiant la responsabilité de toutes les soumissions et de toutes les négociations.

Tandis que Desourdy négociait avec Dumez et Simard-Beaudry, Charles Duranceau construisait le vélodrome olympique (le contrat du vélodrome fut le seul accordé par adjudication; il fut cependant annulé plus tard et remplacé par un contrat non forfaitaire).

À la fin de mai 1974, le conseil de ville de Montréal autorisa le comité exécutif à distribuer tous les contrats olympiques sans appel d'offres. Deux semaines plus tard, le comité exécutif donna le contrat du stade à Desourdy et Duranceau.

Dumez et Simard-Beaudry, il va sans dire, réagirent mal. Au point qu'ils intentèrent tous deux des actions en dommages contre Desourdy Construction et Roland Desourdy. Simard-Beaudry accusait Desourdy de l'avoir entortillée tandis qu'il négociait secrètement avec Duranceau et la ville. La compagnie réclamait un dédommagement de $1 million.

Dumez réclamait $6 158 971, alléguant que Desourdy avait agi illégalement à son égard, avait violé ses droits et abusé de son mandat, la privant ainsi de la chance de participer aux profits « des gigantesques travaux de dimension internationale que requiert l'aménagement du parc olympique ».

Il était logique que Roland Desourdy et Charles Duranceau collaborent, ayant déjà été associés dans le passé et étant tous deux directeurs de Sogena, société de gestion dirigée par Marc Carrière, membre en règle de la bande de Bromont. Paul Desrochers, conseiller de Bourassa et directeur du COJO, est l'un des fondateurs de Sogena et siège toujours au bureau de direction. Roland Desourdy en devint vice-président en 1962.

Jusqu'à ce qu'il éprouve des difficultés financières à la fin de 1975, Carrière contrôlait Sogena qui détenait le contrôle des grands magasins Dupuis Frères et de la Place Dupuis, complexe immobilier du centre de Montréal (la Place Dupuis abrite entre autres un Holiday Inn et les bureaux de la Société de développement de la baie James). C'est un vieil ami du premier ministre Pierre-Elliot Trudeau, qui l'a souvent cité en exemple à ses compatriotes de langue française.

Jack Jackson, l'un des fondateurs de Bromont, est aussi directeur de Sogena. Partageant la passion de Desourdy pour les chevaux, il est directeur du Mount Royal Jockey Club et de Blue Bonnets Raceway.

(Le groupe de Sogena paraît avoir une affection particulière pour les sportifs en affaires. Carrière partage aussi la propriété d'une manufacture de meubles de Sherbrooke avec la famille Molson, ancien propriétaire des Canadiens de Montréal.)

L'orgueil de Bromont est le Montreal Hunt Club, premier club de chasse à courre en Amérique du Nord. Roland Desourdy en est le grand veneur, fonction qui l'autorise à porter une élégante tunique rouge lorsqu'il monte à cheval au son des aboiements et des cors de chasse anglais.

Il a communiqué sa passion pour ce sport de gentilhomme à plusieurs membres de la bande de Bromont et, en particulier, à Gérard Niding. Lorsqu'il commença à être question de l'emplacement des compétitions équestres, Desourdy amena Niding visiter tous les grands centres équestres du monde afin de lui faire voir quel merveilleux terrain de jeux pouvait échoir à la bande de Bromont.

Le vice-président du COJO, Simon Saint-Pierre, s'enticha tellement du sport de l'équitation qu'il prit l'habitude de passer ses week-ends à Bromont. Le jour de son anniversaire, ses subalternes lui firent cadeau d'un cheval qu'ils firent monter jusqu'à son bureau par l'ascenseur de service pour participer à la fête. Un an plus tard, au milieu de l'hiver, Saint-Pierre tomba de cheval dans le manège intérieur de Desourdy et se blessa à la tête. Il mourut quelques jours plus tard d'une hémorragie cérébrale.

Les Desourdy et leurs amis sont évidemment des habitués du Club de golf de Bromont, qui n'est pas vraiment le club privé des Desourdy comme le disent les mauvaises langues mais le club de la bande de Bromont. Le professionnel du club est un ancien joueur de hockey des Canadiens, Robert Rousseau, également partenaire muet de Gerry Snyder en affaires.

Ainsi, quand vint le temps pour le COJO de décider où aurait lieu le concours hippique des Jeux, est-ce étonnant qu'il ait jeté son dévolu sur Bromont?

La Fédération équestre du Canada fut consultée et recommanda Saint-Lazare, près de Hudson, fief des hippophiles anglophones du Québec. L'un des avantages de Saint-Lazare est que le sol y est idéal: sablonneux plutôt qu'argileux comme celui de Bromont. L'argile a le double inconvénient de rester longtemps détrempée par temps humide et de durcir sous le soleil, devenant très périlleuse pour les pattes fragiles des chevaux de grand prix utilisés dans ces compétitions.

Le COJO, les Desourdy et leurs amis, qui favorisaient Bromont, ne se laissèrent pas émouvoir par ces arguments. En réalité, le COJO avait déjà arrêté sa décision lors de la visite du chef de la Fédération équestre internationale, le prince Philippe. Roland Desourdy cueillit le prince en hélicoptère à l'aéroport de Dorval et l'emmena à Bromont. Après avoir fait le tour du domaine, le prince lui donna sa bénédiction et celle de la Fédération.

À l'origine, la plupart des compétitions hippiques devaient avoir lieu à l'île Sainte-Hélène et à l'Autostade, deux vestiges de l'Expo. Les épreuves de saut devaient clôturer les Jeux au stade olympique. Seul le parcours de chasse devait avoir lieu sur la ferme de 9 000 acres des Desourdy.

L'Autostade est situé au carrefour d'une autoroute achalandée, du pont Victoria, de l'aéroport des ADAC et du port de Montréal. En le voyant, le prince Philippe réfléchit tout haut que les chevaux pourraient mal réagir au bruit des voitures, des avions et des bateaux. Le COJO prit prétexte de cette remarque pour décider, en mars 1974, de transporter à Bromont les épreuves qui devaient avoir lieu à l'Autostade et à l'île Sainte-Hélène. Le coût des installations qu'il fallait construire à Bromont (contrat confié à Desourdy Construction, naturellement) passa ainsi à plus de $4 millions. Les estrades temporaires de 9 000 sièges prévues au départ furent remplacées par un stade permanent de 15 000 places.

Tout allait être construit sur la terre des Desourdy, occasion que la famille ne tarda pas à tourner à son avantage. Deux entreprises de la famille, Domaine Bromont Inc. et Bromont Estate Inc., contractèrent une obligation de $1 850 000 sur première hypothèque par l'entremise du Trust général du Canada, qui s'empressa de la refiler à la Caisse des dépôts et investissements du Québec, organisme chargé d'investir l'argent déposé par les contribuables à la Régie des rentes. Les Desourdy purent ainsi emprunter à faible taux d'intérêt en utilisant la mise de fonds du COJO comme collatérale.

Il convient de noter que feu Marcel Faribault, naguère présenté comme le grand penseur québécois du Parti conservateur, était alors président du Trust général du Canada. Il était aussi directeur de I.B.M. et, à ce titre, avait pris part aux pourparlers qui aboutirent à l'établissement de Bromont.

(L'usine de I.B.M. devait employer plus de 1 000 personnes, mais elle n'en employa jamais plus de 300 et elle aurait décampé si le gouvernement provincial ne lui avait accordé d'autres subventions. Elle compte maintenant 175 employés.)

Avec l'aide de la S.C.H.L. et de la Société d'habitation du Québec, Desourdy et le COJO bâtirent un mini-village olympique pour loger les concurrents des épreuves d'équitation dans un décor charmant en face du centre de ski de Bromont et à proximité des fermes Bromont, propriété de Claude Desourdy.

Les 310 athlètes inscrits au concours d'une durée de trois jours logeront dans des appartements et dans seize maisons individuelles ressemblant plus ou moins à des chalets de ski et toutes décorées avec goût. Puisque les maisons furent construites avec des fonds fédéraux et provinciaux, elles ont une vocation d'habitation à loyer modique. La municipalité de Bromont étant ce qu'elle est, elle n'a pas un besoin criant d'habitations à loyer modique. Le plus vraisemblable est que le mini-village servira éventuellement à loger les ouvriers de l'usine de I.B.M.

De manière à pouvoir loger les autres visiteurs qui viendront à Bromont durant les Jeux, Desourdy évacue des familles entières, les installe temporairement dans des villes voisines, jusqu'au Vermont, et transforment leur maison en hôtellerie. Les 15 hôtesses des concours hippiques partageront des grands lits qui leur seront loués $1 500 chacun durant le mois qu'elles passeront à Bromont. L'une de ces auberges de fortune rapportera $12 000 durant le mois. L'addition, bien sûr, est réglée par le COJO.

Un riche Brésilien, fanatique des concours hippiques, refuse de se prêter à ce commerce. Bien qu'il préfère loger près des athlètes et de leurs montures et qu'il peut certes payer ce qu'on lui demande, il refuse de le faire sous prétexte que « c'est non seulement prohibitif, mais immoral ». Il descendra donc à Sutton à quelques milles de Bromont.

Le sort de Robin Hahn, fermier de la Saskatchewan et membre de l'équipe hippique du Canada à Munich en 1972, illustre bien le genre d'influence qu'exerce Desourdy au centre de Bromont. Hahn est spécialiste du cheval d'arme et le COJO l'avait engagé comme consultant pour ce concours. Hahn avait embauché quelqu'un pour s'occuper de sa ferme et était venu s'installer à Montréal.

À la suite des compétitions de 1975, Hahn suggéra d'effectuer deux modifications au parcours de Bromont. « Vous êtes à Bromont, non pas à Montréal », lui dit Desourdy. « Mais monsieur... » balbutia Hahn. Le lendemain, il était congédié et en route pour la Saskatchewan.

La question s'est posée de savoir ce qu'il adviendrait des écuries et des installations hippiques après les Jeux. Le parcours de chasse et certaines installations seront intégrés au Montreal Hunt Club. Mais le stade permanent et la piste posent un problème. Heureusement pour les Desourdy, qui pourraient rester collés avec ces ouvrages encombrants, une solution est en vue. Le Club de courses de Sherbrooke est à la recherche d'une nouvelle demeure. Bromont, en bordure de l'autoroute, est bien située et pourrait puiser dans le réservoir de population que constituent Granby, Drummondville, Saint-Jean, Cowansville et Sherbrooke, de même que les villes du nord du Vermont et de l'État de New York.

Jack Jackson, directeur de Blue Bonnets Raceway, pourrait peut-être conseiller ses amis de la bande de Bromont à cet égard.

Le plus étrange de l'affaire est que le COJO s'y est embarqué sans signer de contrat avec les Desourdy. Howard Radford, secrétaire-trésorier du COJO, fit savoir vers la fin de l'automne 1975, plus d'un an après la mise en chantier des installations, qu'un contrat était « en cours de préparation ».

Le COJO a toujours refusé de divulguer les détails de son entente avec Desourdy et ses amis de Bromont. Tout public qu'il soit en théorie, le COJO ne s'est jamais senti obligé de révéler la nature exacte de ses entreprises. S'il faut l'en croire, il a procédé à des aménagements importants sur une propriété privée sans signer de contrat ni obtenir de garanties. Tout s'est fait sur l'honneur entre vieux camarades et les potes de Bromont n'ont jamais eu à s'en repentir : ils ont toujours semblé sortir gagnants.

Grâce à ces ententes secrètes, les Desourdy se retrouveront sans aucun frais propriétaires de l'un des plus beaux centres d'équitation de l'Amérique du Nord.

« C'est comme de donner une grande fête sans avoir à

payer l'addition », disait Roland Desourdy à l'animatrice Adrienne Clarkson, de Radio-Canada.

La prodigalité de Montréal envers la bande de Bromont ne s'arrête pas aux Jeux Olympiques.

La ville est propriétaire d'autres installations récréatives qui excitaient la convoitise de ce groupe d'hommes qui entretiennent de si bons rapports avec leurs amis et employés, les politiciens. À l'occasion de l'Expo 67, on avait emménagé une vaste marina avec quai capable de recevoir deux cents bateaux de plaisance à l'extrémité sud-est de l'île Sainte-Hélène. En comptant les frais d'aménagement et d'exploitation, la marina représentait un investissement de plus de $4 millions de la part des contribuables de Montréal, du Québec et du Canada. Jusqu'à cette année, la marina était ouverte à quiconque voulait débarquer à Montréal. Mais en mars, tout juste quatre mois avant l'ouverture des Jeux, le comité exécutif fit adopter par le conseil de ville un bail cédant la marina à un club de bourgeois, le Club de yacht de Montréal. Marc Carrière et David Molson sont au nombre des directeurs du club.

En cette année olympique, peu de membres du Parti civique se sont formalisés que des installations financées par le public soient mises au service exclusif des riches.

Au printemps 1976, le maire Drapeau expédia une série de brochures exaltant tout ce qui avait trait aux Olympiques. L'envoi comprenait une publication du COJO intitulée « Bromont, théâtre des concours hippiques ».

La brochure, réalisée à grands frais, n'était rien de moins qu'un feuillet publicitaire pour les entreprises Desourdy, utilisant les Olympiques comme appât.

« Sise au pied du mont Brome, fille de la nature dotée d'un profil superbe, Bromont compte aujourd'hui deux mille âmes, dit la brochure.

« Sa planification a été rigoureuse, délibérée et contrôlée de manière à réunir pour les résidants et les hommes d'affaires toutes les conditions d'une coexistence confortable.

« À mi-chemin entre Montréal et Sherbrooke... Bromont

est à moins d'une heure d'avion des grands centres commerciaux de Toronto, de New York et de Boston... »

La brochure continue de gloser sur les services de transports aériens et ferroviaires, les installations d'entreposage et les routes. Puis, elle conclut:

« Bromont, théâtre des concours hippiques des Jeux Olympiques de 1976, a rendez-vous avec le destin et une vocation de grand centre industriel et récréatif... Épargnée par la pollution et régie par une réglementation stricte, c'est un endroit où il fait bon vivre, travailler et jouir pleinement de la vie. »

Le Montréalais moyen, écrasé par les taxes, frustré de services essentiels et frisant la faillite, est invité à se dérober à ces malheurs et à se réfugier à Bromont. S'il ne peut réunir le capital nécessaire pour y acheter une maison et acquitter sa cotisation au Hunt Club et au club de golf, il peut au moins écrire à l'hôtel de ville et obtenir gratuitement cette magnifique brochure en couleurs. Après tout, c'est lui qui l'a payée.

CHAPITRE **7**

Les courbes du désastre

« *Le génie est français, les bras sont du Québec.* »

Roger Taillibert

Les travaux de construction des installations olympiques commencèrent véritablement à l'été 1973 quand le vélodrome, charpente aux courbes douces qui lui donnent l'allure d'un énorme vaisseau spatial, fut mis en chantier.

Le stade ne fut mis en train qu'un an plus tard. Ce fut donc le vélodrome qui présida à la naissance de la catastrophe.

À partir de ce moment, la ville s'enfonça de plus en plus profondément dans la dèche, inexorablement poussée par la vision et les rêves fantasques d'un maire désormais obsédé. Le complexe olympique était devenu chez lui une idée fixe qui ne souffrait guère de contrariété ni de discussion. Alors qu'au début de l'aventure, modestie, noblesse et simplicité devaient être la règle, il n'était plus question maintenant que de pyramides, de sphinx, de monuments, de grandeur et de l'incompréhension des petits esprits.

Les illusions se dissipèrent au fur et à mesure que la ville, puis la province avancèrent dans la réalisation de ce que le maire percevait comme l'une des grandes merveilles architecturales du monde. Le maire manœuvra savamment, camouflant les coûts, mettant les gouvernements en face de faits accomplis, ne laissant jamais à personne d'autre choix que d'aller plus loin, encore plus loin et toujours plus loin.

En l'espace de deux ans, le coût du parc olympique passa de $200 millions à $415 millions à $476 millions à $555 millions à $700 millions à près d'un milliard. Chaque fois qu'on faisait part d'une nouvelle estimation, le maire prétendait que c'était la dernière et qu'on n'avait guère d'autre choix que d'aller de l'avant. Mais la dernière était toujours suivie d'une autre.

Le maire avait tout conquis sur son chemin. Il lui fallait maintenant conquérir le temps en érigeant un monument qui durerait des siècles ou, pour utiliser ses propres mots, « que les gens traverseraient les océans pour admirer ».

Quiconque y regardait d'assez près pouvait se rendre compte, dès le début des travaux de construction, que les Jeux modestes étaient un mensonge. Les ingénieurs et les consultants étaient à même de constater que les plans étaient mal conçus, le calendrier de travail une fiction et les devis estimatifs pure fantaisie.

Mais il leur fallait poursuivre, réduits au silence par un homme qui ne tolérait pas d'être contredit quelle que soit l'énormité de ses erreurs. Des hommes honnêtes et compétents furent congédiés, mis sur une voie d'évitement ou forcés d'assister bouche bée au déroulement de la grande aventure.

Ingénieurs, architectes, consultants, entrepreneurs et ouvriers furent tous emportés dans le tourbillon et, même si quelques-uns étaient sceptiques, ils touchèrent tous leur part des immenses profits qui jaillissaient sans fin de la fontaine olympique.

Envahi par l'incompétence, l'irrationnalité, la rapacité, les conflits et les intrigues, le projet échappa à toute autorité. Pour le contribuable, il revêtit les dimensions d'une tragédie grecque.

En août 1973, Charles Duranceau obtint un contrat de $12,3 millions pour construire le premier vélodrome couvert dans l'histoire des Jeux Olympiques. Tandis que partout ailleurs on se contente de pistes de plein air, Roger Taillibert imagina un nouveau genre d'amphithéâtre d'une architecture révolutionnaire qui conviendrait à toutes sortes d'usages, depuis les concerts de rock jusqu'aux concours de Judo. Ce fut le premier et le dernier contrat olympique attribué par adjudication.

Duranceau soumissionna sur la foi de plans fort imprécis. Un employé de la maison révéla plus tard que la soumission ne portait vraiment que « sur une moitié de vélodrome ». Mais on soutint à l'hôtel de ville que l'édifice ne coûterait pas plus de $12,3 millions et on ajouta même qu'on avait prévu une offre plus basse.

Le premier grand problème surgit avant même le début de la construction. C'en était un que connaissaient bien la plupart des bâtisseurs locaux, mais qui avait échappé à Taillibert: le sol sur lequel devait être érigé le vélodrome ne pouvait tout simplement pas le supporter.

Le vélodrome devait être situé juste à l'est du stade dans le parc olympique. Mais le terrain à cet endroit descend brusquement au sud de la rue Sherbrooke, qui longe l'ancienne falaise de la mer de Champlain, autrefois la rive du Saint-Laurent. Le roc y est fragile et crevassé. Ironiquement, Taillibert avait d'abord proposé de bâtir le stade et le vélodrome un peu plus au nord, coupant la rue Sherbrooke et une partie du terrain de golf, « pour les asseoir en pleine verdure ».

Le vélodrome consistait en un immense toit soutenu par trois arches se rejoignant à l'une des extrémités. Presque tout l'édifice devait porter sur quatre points. Hélas! le sol ne pouvait supporter ces quatre points.

Avant toute chose, les quatre points devaient être renforcés, à grands frais. On souffla du béton dans les fissures du sous-sol et on apprêta les points d'ancrage avec un système complexe de câbles et de boulons. Il fallut une couple de mois de travail soigné qu'on n'avait pas prévu dans la préparation des devis. D'abord estimé à $497 576, le coût des fondations s'éleva finalement à $7 171 876.

L'entrepreneur se heurta ensuite à une deuxième embûche. Les plans de Taillibert, outre qu'ils étaient en retard et incomplets, n'indiquaient que l'apparence du vélodrome une fois fini. Il s'agissait d'une structure nouvelle requérant des techniques nouvelles, mais rien n'indiquait comment la construire. Détail mineur certes, mais quand même important.

Là-dessus, Taillibert se défend en disant qu'Européens et Américains n'ont pas la même philosophie en matière de construction. En Europe, dit-il, l'architecte donne le dessin de l'édifice tel qu'il apparaîtra et l'entrepreneur s'arrange avec les questions de génie et de technique.

Duranceau engagea un ingénieur consultant, François Vézina, pour arrêter les plans de la construction. La tâche n'était pas facile parce que le vélodrome devait être construit littéralement depuis le sommet vers la base. Il fallut imaginer et monter un système d'échafaudage compliqué pour soutenir les arches tandis qu'elles étaient ajustées morceau par morceau et finalement ancrées aux points d'appui.

Pour y arriver, rappelle Vézina, « il nous fallait des plans, mais les plans n'étaient pas prêts ». Vézina et le vice-président de la section de génie de la maison Duranceau, Baker Daigle, traçaient leurs plans tandis qu'on préparait la base et Taillibert et son équipe, à Paris, s'efforçaient de compléter leurs dessins.

Sous la direction de Claude Phaneuf, l'ingénieur du service des travaux publics de la ville de Montréal, les ingénieurs et les consultants de la maison Duranceau avaient établi le cheminement des travaux qui permettrait de parachever le vélodrome à temps pour les championnats mondiaux de cyclisme, qui devaient avoir lieu à Montréal durant l'été 1974. Les horaires devaient être comprimés, tronqués et tordus pour entrer dans les délais, mais Phaneuf et Taillibert paraissaient sereins et confiants.

Les doutes vinrent quand le budget commença à rétrécir. C'était Phaneuf qui avait établi les premières estimations pour le vélodrome et le stade, en se fondant sur les quantités de matériaux suggérées par l'architecte. Les coûts étaient calculés à partir des prix courants à l'unité, mais certains des chiffres fournis par Taillibert représentaient les prix français.

Les estimations du coût de la main-d'œuvre étaient aussi assez fantaisistes puisque le calendrier de travail était irréaliste.

Baker Daigle insista auprès de Taillibert pour obtenir des plans plus précis et lui fit part de ses craintes que le vélodrome ne puisse être livré à temps pour les championnats de 1974. Leurs discussions dégénérèrent en disputes et leurs disputes en inimitié.

Taillibert partageait son temps entre ses bureaux de la rue de la Pompe à Paris et l'antichambre du bureau du maire à l'hôtel de ville de Montréal. Comme les rapports s'envenimaient entre l'architecte et les ingénieurs, le maire prit l'habitude de visiter de plus en plus fréquemment le chantier afin de régler les problèmes et de remonter le moral des hommes.

Il apparut bientôt que le plan de cheminement des travaux était rempli de trous. Il impliquait l'exécution de tâches très différentes à la même heure et au même endroit par des équipes différentes, ce qui était physiquement impossible. Les plans étaient encore très incomplets et il fallait constamment improviser pour résoudre les problèmes techniques qui surgissaient.

Le maire Drapeau continuait néanmoins de stimuler les bâtisseurs, exaltant le génie de Taillibert et répétant à qui voulait l'entendre qu'il n'existe « pas de problèmes sans solution ».

Les entrepreneurs convinrent finalement qu'il était impossible de rattraper le retard causé avant même le début de la construction par les difficultés de préparation du sol et qu'ils ne pourraient terminer le vélodrome à la date fixée. Au cours d'une réunion, Baker Daigle s'en ouvrit franchement au maire qui piqua une crise et rembarra Duranceau. Taillibert se mit à déverser un flot d'injures sur les ingénieurs et les accusa de s'égarer dans les détails.

Les travaux progressaient au pas de tortue et le climat sur le chantier se détériorait de plus en plus, au grand désespoir du maire. Duranceau, déjà dans ses petits souliers parce qu'il avait complètement défoncé son budget forfaitaire de

$12 millions avant que le vélodrome ne sorte de terre, se faisait maintenant harceler sans arrêt par le maire et Taillibert.

Ne sachant plus où donner de la tête, il aborda Taillibert à l'occasion d'un cocktail et lui dit qu'il ne pensait pas qu'existaient au Canada les compétences nécessaires pour exécuter son plan. Il pria l'architecte de le conseiller.

Peu de temps après, Baker Daigle, dont le bon sens et la compétence n'avaient jamais été mis en doute auparavant, fut forcé de démissionner et Duranceau le remplaça par Gérard Ruot, de France, spécialiste du précontraint. Ce fut le signal d'une véritable invasion de spécialistes français, parmi lesquels se trouvait le beau-frère de Ruot, Roger Robert.

À partir de ce moment, les relations entre Drapeau et son architecte, d'une part, et Duranceau, d'autre part, prirent nettement du mieux, même si les travaux continuèrent de traîner en longueur et les coûts de grimper.

On revisa le plan de travail en faveur d'un autre tout aussi irréaliste. On décida qu'avec plus de main-d'œuvre, plus d'outillage et plus d'argent, on pourrait accomplir des miracles.

François Vézina fut le suivant à partir. Lors d'une réunion avec l'entrepreneur et le maire, Vézina dit carrément qu'il était impossible de mener les travaux à terme à la date fixée.

Le maire riposta qu'il n'y avait pas de place pour les pessimistes sur le chantier olympique. Vézina dit qu'il devrait y avoir de la place pour les réalistes. On lui fit faire ses paquets.

Ruot, Taillibert et Drapeau convinrent que les travaux pouvaient être complétés à temps et autorisèrent d'avance toutes les heures supplémentaires qui pouvaient être requises. Les travaux se poursuivirent vingt-quatre heures par jour et les coûts grimpèrent en conséquence.

Les syndicats se mirent alors de la partie. Ruot, qui avait l'expérience de chantiers employant de la main-d'œuvre importée en Algérie et en France, se plaignit de « l'indiscipline » des ouvriers du Québec. Ruot s'amenait fréquemment sur le chantier dans sa luxueuse voiture-sport Renault Alpine et il était à même de constater que le mécontentement grondait. Un an et demi plus tard, Ruot dit dans une interview

« qu'on s'était fiché quelques coups, mais qu'il n'y avait pas eu la guerre ».

Tandis que piétinaient les travaux du vélodrome tout au long de 1974, on continuait de prétendre à l'hôtel de ville que les estimations du départ tenaient toujours. Les travaux du stade commencèrent et le chantier devint si encombré qu'il prit l'allure d'une immense foire.

L'élection municipale approchait et il n'était pas question de laisser transpirer l'ombre d'une difficulté même si toutes les personnes au fait de la construction savaient que les coûts avaient au moins quadruplé, que les travaux avaient beaucoup de retard et que le vélodrome ne serait pas prêt pour les championnats de cyclisme.

Finalement, six semaines avant l'ouverture des championnats, devant l'inquiétude grandissante de la Fédération mondiale du cyclisme et de la presse, l'Hôtel de Ville annonça que « des difficultés techniques » empêchaient la livraison du vélodrome.

Le COJO chargea alors Raymond Lemay, ex-directeur de Blue Bonnets Raceway et maintenant vice-président de Canada Steamship Lines, de construire un vélodrome temporaire à l'Université de Montréal pour y accueillir les championnats mondiaux. Les installations coûtèrent $400 000 et eurent un succès bœuf. Tous les concurrents se dirent enchantés de la piste de plein air.

Duranceau, de nouveau en bons termes avec Taillibert et avec le maire à la suite du départ des éteignoirs, présentait entre-temps à l'hôtel de ville les énormes factures découlant de la folle tentative de terminer le vélodrome à temps pour les championnats. On mit encore un an à parachever l'édifice.

Le comité exécutif de Montréal soutenait toujours que son estimation de $250 millions pour l'ensemble des installations olympiques était en plein dans le mille, que les Jeux ne coûteraient pas un cent aux contribuables et qu'il n'y avait pas de problème, sauf de légers contretemps techniques.

À la fin de l'automne 1974, Duranceau avait déjà dépensé $34 millions pour remplir son contrat de $12 millions et les coûts continuaient de monter. Quelques mois auparavant, le conseil de ville avait dispensé le comité exécutif de l'obligation de procéder à des appels d'offres pour distribuer les contrats olympiques. Dès lors, les sous-contrats, y compris ceux du vélodrome, furent attribués à des compagnies qu'on « invitait » à soumissionner. Quelquefois, seulement une ou deux compagnies étaient invitées à soumissionner et l'exécutif ne choisissait pas toujours la soumission la plus basse. Il n'est presque jamais arrivé non plus qu'on ait forcé les entreprises à ne pas déroger au prix fixé dans leur soumission. De plus en plus, les contrats prévoyaient une commission en outre du coût des travaux.

Techniquement cependant, Duranceau restait lié par son contrat initial. Il tenta plusieurs fois de le faire modifier, mais fut souvent éconduit brutalement par Phaneuf. Il commença à craindre que son entreprise qui durait depuis quarante ans ne soit acculée à la faillite, mais on lui donna l'assurance qu'on prendrait soin de lui éventuellement. Vraisemblablement, on voulait reporter la question après l'élection de novembre 1974 pour éviter d'avoir à parler de rallonges en pleine campagne électorale.

On dressa un nouveau contrat au début de 1975, mais l'Hôtel de Ville ne cessait d'en différer la signature. En avril, deux mois après que Duranceau eut signé son exemplaire du contrat, l'exécutif accepta finalement de le contresigner. Soulagé autant qu'épuisé, Duranceau partit sur-le-champ pour des vacances en Floride.

Les contrats à commission ferme, les plans tardifs, les nouvelles techniques de construction et l'entêtement ne furent pas les seules causes de la montée des coûts.

Taillibert était intransigeant et refusait obstinément de se contenter à l'occasion de matériaux de deuxième ordre. Ainsi, plutôt que de reprendre le bois qui avait servi à la piste temporaire de l'Université de Montréal, il insista pour orner son vélodrome d'un bois très rare venant d'Afrique, le *doussié azfélia*, type de cerisier sauvage qui ne se trouve qu'au cœur de certaines parties de la jungle. Hélas! l'Hôtel de Ville passa la commande en pleine saison des pluies alors qu'il est impossible de débiter le bois. Il a donc fallu l'importer en billes, donc en acheter plus que de besoin et payer plus cher pour le transport. Cette seule erreur coûta à la ville $173 800.

Même terminé, le vélodrome restait une source de problèmes. Des chimistes et des ingénieurs firent savoir que les panneaux d'acrylique qui composaient soixante-dix pour cent de la toiture constituaient un danger d'incendie.

Les panneaux translucides, qui permettent l'éclairage naturel du vélodrome de manière à économiser l'électricité, sont faits d'un alliage de plastique acrylique de polyuréthane appelé éthafoam. Michael Hyde, de la société Dow Chemicals qui fabrique l'éthafoam, dit que la compagnie avait recommandé de ne pas utiliser son produit parce que « nous ne connaissons pas sa résistance au feu lorsqu'il est allié avec l'acrylique ».

Selon Robert Pallin, de l'Université Concordia à Montréal, les panneaux sont « tout ce qu'il y a de plus inflammables » et « se consument en criant lapin ». Il ajoute que cinquante personnes sont mortes dans l'incendie d'un immeuble revêtu de panneaux d'acrylique sur l'île de Man au Royaume-Uni en 1973.

Ce problème était encore sans solution à la veille des Olympiques.

Un rapport interne du service des travaux publics attribue la plus grande partie de la hausse des coûts du vélodrome à deux facteurs: le problème du sol et des fondations et la faible productivité de la main-d'œuvre.

Le rapport, présumément rédigé par Phaneuf, précise que le problème du sol entraîna des dépenses supplémentaires de $11 706 000, soit $7 millions pour les fondations et $5 millions pour l'outillage et les matériaux.

L'improductivité, continue le rapport, ne fut pas moins coûteuse. Selon les auteurs du rapport, les syndicats avaient décidé de placer les travaux olympiques dans « une catégorie à part » et les ouvriers s'en tenaient à la lettre de la convention collective, concernant les pauses-café et l'heure du déjeuner. Ils estiment que ces pauses prolongées entraînèrent des dépenses de $1 588 281 en heures supplémentaires. La lenteur à effectuer certaines tâches coûta $2 793 026. Les grèves, notamment la grève des ferrailleurs en décembre 1974, entraînèrent une perte directe de $143 576, faisant un total de $4,5 millions en pertes directes dues à la productivité.

Si on ajoute les pertes indirectes — $1,5 million en heures supplémentaires, $2,6 millions en outillage supplémentaire, $2,1 millions en sous-contrats supplémentaires et le reste —, la somme totale des dépenses supplémentaires causées par la faible productivité s'élève à $11 733 846.

Incidemment, ce rapport interne est l'un des rares documents olympiques qui soient aussi détaillés. D'ordinaire, on arrondissait les chiffres au million le plus près.

Même s'il était exact, le rapport n'explique pas tout, il s'en faut.

En tout et partout, le coût du vélodrome s'est élevé autour de $70 millions. Et ceci, pour un amphithéâtre de 7 000 sièges. Vers la même époque, on a construit un stade couvert de 60 000 sièges à Seattle, dans l'Etat de Washington, pour $60 millions.

Mais le stade de Seattle n'est pas aussi imposant que le vélodrome du parc olympique. On n'a jamais vu d'édifice comme le vélodrome et sans doute n'en verra-t-on jamais plus.

L'administration de Montréal et Roger Taillibert ne tirèrent aucune leçon du désastre du vélodrome, qui aurait pourtant dû servir de banc d'essai pour la construction du stade. Drapeau et Taillibert refirent les mêmes erreurs, mais cette fois sur une tout autre échelle.

En 1972 déjà, quelques-uns des membres du cénacle responsable du planning des installations olympiques avaient répété au maire qu'il était important de commencer les travaux de construction du stade dès que possible, voire sur l'heure, si on voulait le terminer à temps.

Mais le maire n'écoutait qu'un homme, son architecte personnel Roger Taillibert. Et les plans de Taillibert n'étaient pas suffisamment avancés pour permettre d'engager même la phase préliminaire des travaux avant la fin de l'été 1974. Même alors, plusieurs de ceux qui devaient collaborer à la construction du monument estimaient qu'il était trop tard.

Suivant son habitude, le maire Drapeau s'efforça d'interpréter favorablement ce contretemps. Quand le chef du C.I.O., Lord Killanin, lui demanda avec inquiétude pourquoi la ville avait attendu si longtemps, le maire se piqua d'avoir ainsi épargné beaucoup d'argent aux contribuables. Si les travaux avaient commencé en 1972, lui dit-il, le stade aurait été prêt beaucoup trop tôt et serait resté inutilisé pendant un an et demi, luxe qu'il voulait épargner à la ville.

Pour des raisons mystérieuses, l'administration choisit de confier à un consortium de deux entrepreneurs, Charles Duranceau et Roland Desourdy, la tâche d'ériger l'une des structures les plus complexes des temps modernes. Cette décision était pour le moins étrange. D'abord, Duranceau était pratiquement à bout de ressources en raison de l'exténuant contrat du vélodrome. Desourdy, lui, n'avait pas l'expérience des édifices compliqués, s'étant surtout limité jusque là aux travaux grossiers comme la construction de routes. Son entreprise avait bien bâti quelques écoles, mais rien de très sophistiqué.

En vertu du système établi par le maire, la section du parc olympique du service des travaux publics était en charge des travaux. Desourdy et Duranceau étaient les entrepreneurs généraux.

Avant que les travaux ne commencent au cours de l'été 1974, Québec décida d'intervenir de manière indirecte. Le gouvernement provincial et le gouvernement municipal, à la demande du premier, avaient déjà mis sur pied un comité consultatif conjoint appelé le Comité de contrôle olympique (C.C.J.O.), composé de trois députés provinciaux et de deux conseillers du Parti civique (qui furent tous deux défaits à l'élection de novembre). Le C.C.J.O. n'assuma jamais beaucoup de responsabilités et ne se reconnaissait de toute évidence qu'un rôle mineur. L'une de ses rares manifestations survint quand le député Fernand Lalonde, plus tard élevé au rang de ministre, transmit un message du cabinet du premier ministre Bourassa au maire Drapeau et à M. Gérard Niding. Le message proposait que la maison Lalonde, Valois, Lamarre, Valois et Associés (également connue sous le nom de Lavalin) soit nommée mandataire-coordonnatrice ou gérante du projet olympique.

La suggestion irrita le maire Drapeau. Il la considérait comme une intrusion de Québec dans ses affaires, disait qu'elle équivalait à lui décerner « un certificat d'incompétence » en même temps qu'à son service des travaux publics, mais il finit par s'y plier à contrecœur. La maison d'ingénieurs consultants prit charge des devis estimatifs et des analyses, de l'organisation du travail et de l'émission des contrats et des paiements par la ville.

La décision était plutôt étonnante de la part des libéraux provinciaux puisque la société Lalonde et Valois n'avait pas la réputation de pouvoir administrer un projet de cette envergure. Si elle était à court de compétence, elle ne manquait cependant pas de relations politiques.

Lalonde et Valois remplissaient déjà un important contrat à la baie James et administraient un autre projet de la ville de Montréal, la construction d'une usine de filtration dont le coût grimpa aussi de façon dramatique.

L'arrivée de Lalonde et Valois compliquait l'administration du projet puisque certaines fonctions devaient être retirées au service des travaux publics et aux entrepreneurs généraux. Il en résultait une sorte de troïka qui tirait souvent dans trois directions différentes. À cette difficulté s'ajoutait le fait que le maire Drapeau se considérait comme le véritable administrateur du projet, Drapeau conférait aussi des pouvoirs extraordinaires à son architecte, qui se tenait pour l'homme de génie dans un monde de philistins, provoquant du ressentiment et aggravant le malaise de l'administration.

Techniquement, Taillibert apparaissait au tableau comme « architecte consultant » pour obéir au règlement de l'Ordre des architectes du Québec qui prescrit la désignation d'un architecte local comme titulaire de tout projet fondé sur des plans étrangers. L'architecte du complexe olympique était donc légalement André Daoust, architecte en chef de la ville de Montréal.

Mais Taillibert était le maître du chantier, secondé par un peloton de spécialistes français employés directement par l'agence Taillibert. (Les soldats logeaient au Sherbourg, maison de rapport de deuxième ordre sur la rue Sherbrooke, tandis que le patron habitait une suite à l'hôtel Reine-Elizabeth.)

Tout comme le vélodrome auparavant, le stade se heurta d'emblée à des difficultés logistiques et techniques qui, toutes, enflèrent les coûts avant même que le projet ne fût vraiment en marche. Souvent, il ne s'agissait pas de véritables hausses de coûts, mais simplement de « découvertes de coûts », c'est-à-dire de postes qui avaient été sous-estimés dans les devis originaux.

Le premier grand problème qu'on affronta fut celui du temps. On avait prévu moins de deux ans pour construire le stade tandis qu'il aurait fallu trois et peut-être même quatre ans pour être à l'aise. On mit cinq ans à construire le Super-dome de 97 000 sièges, à New Orléans (au coût de $167 millions qui en fit pour un temps le stade le plus dispendieux du monde).

À la brièveté des délais s'ajoutait l'extrême complexité de la structure. Les problèmes de géométrie et de génie qu'elle posait avaient de quoi confondre les plus grands experts. Il y avait d'abord cette tour de cinquante étages s'inclinant plus dangereusement que la tour de Pise qui représentait un tour de force technique requérant plusieurs heures d'études et de calculs par ordinateurs.

Le stade devait être composé de sections de précontraint usinées à plusieurs milles du chantier. Puisque le dessin n'est pas symétrique, chacune des sections, pesant jusqu'à 185 tonnes, avait ses spécifications et toutes devaient être mises en place avec une précision quasi millimétrique.

La charpente elliptique se composait de trente-quatre arcs s'avançant en surplomb 130 pieds à l'intérieur du stade. Les sections des arcs devaient être disposées en équilibre précaire en cantilever de manière à pouvoir soutenir des poids invraisemblables. Les arcs eux-mêmes sont retenus par des câbles de tension dissimulés à l'intérieur. L'érection des arcs exigeait aussi des calculs savants et précis. Puisque toutes les sections sont différentes, les complications se trouvaient multipliées trente-quatre fois. Il fallut procéder à des calculs distincts pour chacun des deux mille éléments de béton des arcs.

Le maire et Taillibert rejetèrent sans même s'y arrêter la suggestion d'uniformiser le dessin, ce qui eut peut-être épargné de $20 à $30 millions.

Taillibert avait la réputation d'être plutôt lent à livrer ses plans. Au début, il ne fournit que des schémas et des esquisses, laissant aux ingénieurs locaux qui n'étaient pas très au courant de ses techniques d'avant-garde le soin de régler les détails. En outre, tous les plans furent livrés en métrique et on dut engager à grands frais une petite armée de dessinateurs pour les transposer en mesures anglaises.

Comme pour compliquer l'affaire davantage, les plans étaient inévitablement suivis d'un flot ininterrompu de modifications, les unes mineures et d'autres majeures.

Sur le chantier, les bâtisseurs durent faire face aux mêmes problèmes qui avaient entravé la construction du vélodrome. Le roc du sous-sol était fragile et avait besoin d'être renforcé. Dès le départ, les ingénieurs eurent un mal terrible à mettre au point un calendrier des travaux qui se terminait en 1976 plutôt qu'en 1977 ou en 1978.

Le bruit se répandit vite qu'il serait difficile, sinon impossible, de terminer l'ouvrage à temps. En Europe, le C.I.O. commença à s'alarmer, craignant que l'expérience du vélodrome ne se répète et qu'il faille peut-être annuler les Jeux.

Les bonzes voulurent être rassurés par le COJO et l'Hôtel de Ville. Roger Rousseau se renseigna discrètement, mais ne put offrir de garanties.

Avec l'accumulation des problèmes, les divers éléments de l'équipe administrative commencèrent bientôt à se chamailler. Puis vinrent l'agitation ouvrière et les grèves. L'inefficacité, le sabotage et le désordre engloutirent le projet lentement et inexorablement.

Entre-temps, le maire Drapeau faisait campagne pour sa réélection. Tout au long de la campagne, il répéta que « les Olympiques ne coûteraient pas un cent aux contribuables ». Quelques semaines avant que la hausse désordonnée des coûts ne commence à s'ébruiter, le maire rabâchait un peu partout que, sauf le contretemps du vélodrome, tous les travaux se déroulaient normalement, qu'il n'y avait pas de problèmes et, mieux encore, que le budget de $250 millions ne serait pas dépassé.

L'électorat perdait toutefois confiance au maire Drapeau et contestait son ordre de priorité et son style de gouvernement. Quarante pour cent des votants se prononcèrent contre le Parti civique et, pour la première fois en quinze ans, une opposition organisée, le Rassemblement des citoyens de Montréal, s'installa à l'hôtel de ville. Hélas! la machine olympique était déjà en quatrième vitesse, le Parti civique continuait de gouverner clandestinement et le R.C.M. n'y pouvait pas grand-chose. Mais tandis que le maire Drapeau faisait ses déclarations pieuses, Lalonde et Valois faisaient de troublantes découvertes dans leurs analyses de coûts. Absolument tout était de travers.

Lalonde et Valois voulurent plus tard s'arroger le crédit d'avoir découvert que les coûts montaient. Ils n'étaient cependant pas non plus les plus fiables en matière d'estimations. Il leur arriva plus d'une fois de se tromper dans leurs recommandations au comité exécutif. Si vous voyez une estimation de Lalonde et Valois, disait-on sur le chantier, multipliez par deux. Les erreurs qu'ils relevèrent dans les premières estimations étaient si grossières qu'il leur aurait fallu être borgnes et sots par surcroît pour qu'elles leur échappent. Les nouvelles estimations de Lalonde et Valois se révélèrent aussi farfelues que les premières.

Vers la fin de l'année, après l'élection municipale, le reporter Guy Pinard, de *La Presse* qui agit à lui seul comme une sorte de comité de surveillance du chantier olympique, fit une révélation qui stupéfia le public.

Le rapport secret de Lalonde et Valois, écrivit-il, prévoyait des dépenses de l'ordre de $580 millions, plus du double de l'estimation initiale. Le stade, dont les travaux venaient à peine de commencer, coûterait à lui seul $350 millions, selon le rapport. L'Hôtel de Ville et le COJO, suivant leur habitude, s'abstinrent de tout commentaire.

Tandis que le rapport de Lalonde et Valois était en cours de préparation, Roger Rousseau, flairant le désastre, avait pris l'initiative de demander à des architectes d'explorer la possibilité de bâtir des installations temporaires pour remplacer le stade Taillibert, qui n'était encore qu'un immense trou.

Au début de 1975, Québec réunit d'urgence le comité des Affaires municipales de l'Assemblée nationale et y convoqua le maire Drapeau et sa pléthore de consultants, de bâtisseurs et de planificateurs. Il y invita aussi Roger Rousseau, qui proclamait maintenant ouvertement qu'il fallait renoncer au stade olympique, déménager l'Autostade au parc olympique et y ajouter des gradins pour en doubler la capacité. L'Autostade, don des fabricants d'automobiles à l'Expo 67, compte 26 000 sièges.

Rousseau était tourmenté à la fois par la lenteur des travaux et par la hausse dramatique des coûts. La monnaie olympique, qui devait financer tout le programme de construction, ne s'écoulait pas très bien et ne paraissait pas devoir rapporter plus de $120 millions. En privé, révèle sa femme, Rousseau disait qu'il ne croyait plus aux Olympiques. « J'irai devant le comité et je leur dirai le fond de ma pensée, disait-il. Peut-être devrai-je remettre ma démission parce que je ne crois plus aux Olympiques. » La tension entre le maire et Rousseau grandissait. Le maire ne souffrait pas ce genre de défaitisme. Il se préparait lui-même activement à faire face au comité.

Quelques jours avant la séance, le maire s'enferma dans son bureau avec Taillibert, qui paraissait être désormais son grand conseiller financier, en vue de réduire le budget et d'en retrancher les abus les plus flagrants. Selon Gerry Snyder, les deux hommes travaillèrent pendant deux jours « en bras de chemise avec des calculateurs de poche et des machines à additionner ». Mais ils ne touchèrent qu'aux chiffres, pas au stade. Au bout de leur conciliabule, ils avaient réussi à rogner $60 millions des dernières estimations de Lalonde et Valois, en coupant surtout au poste des frais imprévus.

Ils envisageaient déjà des altérations qui allaient ajouter des millions de dollars au coût du stade, mais ils prirent bien garde de ne rien dire de ces projets.

Il y eut ensuite des consultations secrètes entre Gérard Niding, le maire Drapeau, le premier ministre Bourassa et M. Fernand Lalonde, du Comité de contrôle des Jeux Olympiques.

Puis, Drapeau fit porter à Québec la maquette de quatre cents pieds carrés du parc olympique. Quelqu'un, peut-être était-ce le premier ministre, donna l'autorisation à la télévision d'installer pour la première fois ses caméras dans la salle d'audience.

Le maire voulait obtenir le maximum d'impact pour apaiser les critiques et l'inquiétude grandissante du public.

Il était évident dès le départ que toutes les questions avaient été préparées d'avance et serviraient les fins du maire. Il ne restait plus qu'à procéder à la mascarade des audiences.

Rousseau et ses architectes exposèrent au comité impassible leur plan d'urgence impliquant l'Autostade. Par politesse, M. Bourassa et ses députés firent mine d'écouter avec intérêt. Le seul qui ne pouvait être taxé d'hypocrisie était le président du comité et ministre des Affaires municipales, M. Victor Goldbloom, qui se rappelait encore avec amertume l'humiliation qu'il avait subie aux mains du maire au cours des audiences sur le village olympique deux ans auparavant.

Encore une fois, le maire mystifia son auditoire, en exaltant avec passion et conviction les mérites de son plan, les Jeux en général et la gloire qui rejaillirait plus tard sur eux tous. Sous le feu des réflecteurs, il alla montrer sur la maquette les points d'intérêt du parc olympique, entrant dans tous les détails et captant l'imagination des députés libéraux comme s'il les guidait par la main dans le monde de fantaisie de Walt Dysney.

En réponse aux philistins du R.C.M. qui avaient proposé de renoncer à la tour, le maire vanta la majesté et la fonction de cette partie du monument qui consistait en bref à supporter le toit. Il dit à ses auditeurs fascinés qu'il leur donnerait un échantillon du matériau luxurieux dont serait fait le toit de manière qu'ils puissent y toucher et raconter plus tard à leurs enfants et à leurs petits-enfants qu'ils avaient touché le toit du stade olympique.

Quant aux finances, dit le maire avec assurance, il n'y avait pas vraiment de problèmes. Son programme d'autofinancement n'avait pas été conçu forcément comme étant provisoire. La loterie pouvait durer indéfiniment. Il fallait concevoir le budget olympique, dit-il, comme une baignoire: on n'avait qu'à laisser couler le robinet jusqu'à ce que la baignoire soit remplie.

Et quand même tout le monde prétendrait qu'il y aurait un déficit de $200 millions ou plus, dit-il, ce n'était en réalité qu'un jeu de mots. Il ne s'agissait que d'un « écart » entre les revenus et les dépenses et non pas d'un « déficit ». Le maire développa cet argument avec tellement de conviction que tous ses interpellateurs parlèrent d'écart plutôt que de déficit pendant le reste des audiences.

Mais outre sa suggestion de laisser couler le robinet, le maire ne proposa pas d'autres moyens de remplir la baignoire. Et il n'aurait pu garantir, si ses auditeurs suffoqués le lui avaient demandé, qu'il y aurait un bouchon dans le fond de la baignoire.

Les audiences se prolongèrent durant plusieurs jours, le maire et son personnel étant apparemment soucieux de répondre par le menu à toutes les questions. La seule anicroche eut trait au contrat du Village olympique et le comité ordonna au COJO et à Zaroléga de le renégocier parce qu'il était trop manifestement injuste. Le R.C.M. enregistra sa dissidence et soutint que des coupes importantes devaient être effectuées au budget parce que le déficit risquerait autrement d'atteindre le chiffre impensable du milliard. Personne ne l'écouta.

Le maire Drapeau tira sa révérence avant la fin des audiences en expliquant humblement qu'il avait beaucoup de choses à voir et que Charles Roy, son fidèle et loyal serviteur, venait tout juste de mourir. Le comité, promptement, l'excusa. Il s'en fut, laissant les membres du comité, à l'exception de M. Goldbloom et des députés du Parti québécois, se bercer des illusions qu'il avait encore une fois réussi à créer. Il alla tout droit à Ottawa pour rencontrer en privé les membres du cabinet fédéral et discuter d'un accroc survenu dans le programme de la monnaie olympique.

De nouveau, bien qu'il eût accès à toutes sortes de documents secrets le prévenant de la catastrophe financière qui commençait à poindre à l'horizon, le gouvernement provincial endossa publiquement la vision grandiose du maire et l'autorisa à foncer dans le brouillard.

Bernard Lamarre et les autres analystes et ingénieurs de Lalonde et Valois rentrèrent à Montréal pour continuer leur travail. Roger Rousseau retourna bredouille au COJO, encore inquiet et encore sceptique, mais résolu à ne plus ruer dans les brancards.

CHAPITRE 8

Le vase sans fond

Les villes ne devraient pas gaspiller leurs ressources pour toutes sortes de jeux sous peine de se morfondre dans d'inutiles querelles à la recherche déraisonnable de la gloire.

Caius Cilnius Maecenas,
chevalier romain,
ministre d'Auguste, 69-8 av. J.-C.

À un an et demi des Jeux, le plus gros des travaux de construction du stade s'effectuait loin du chantier olympique dans deux usines qui en fabriquaient les éléments précontraints.

Les usines appartenaient aux sociétés Schokbéton Québec Inc. et Vibrek Ltée, qui peuvent toutes deux se vanter d'avoir été traitées généreusement par la ville. Vibrek fut gratifiée d'un « loyer » de $230 000 pour l'usage de son usine, en plus des commissions et des honoraires normaux. Et Schokbéton fut à toutes fins utiles municipalisée par la ville dans un contrat dont les traits saillants sont sans doute uniques dans l'histoire du Canada en temps de paix.

L'usine de Schokbéton à Saint-Eustache, au nord-ouest de Montréal, n'était pas assez grande pour recevoir le volume de travail qu'on voulait lui confier. La ville de Montréal a donc construit une annexe à l'usine au coût de plus d'un demi-million de dollars. Puis, la ville est convenue de payer toutes les dépenses de la compagnie: main-d'œuvre, administration, frais de téléphone et d'électricité et même les taxes foncières; bref, tout. En plus d'honoraires de $600 000 à la compagnie, la ville décida de verser au président Fernand Bibeau une prime de $50 000 et une autre de $35 000 au vice-président en sus de leurs salaires et profits de manière qu'ils « consacrent la majeure partie de leur temps » à son contrat.

Le contrat comprenait bien d'autres clauses toutes aussi étranges qu'ont défendues devant le conseil de ville le directeur des travaux publics, M. Charles Boileau, le conseiller juridique de la ville, Me Michel Côté, qui devait démissionner moins d'un an plus tard, et Gérard Niding, lui-même ancien entrepreneur. Tous estimaient que les éléments du contrat qui excluaient les risques et garantissaient les profits étaient en tout point conformes à l'éthique capitaliste.

Le maire Drapeau avait d'abord pensé que la ville pourrait établir sa propre usine près du chantier olympique.

Mais le président de Schokbéton prit contact avec les autorités et proposa de mettre son usine au service exclusif du projet olympique. Sa proposition fut bien accueillie, mais on était un peu gêné d'attribuer un contrat aussi important et aussi lucratif sans appel d'offres. On résolut donc le problème en invitant deux autres compagnies à produire des soumissions en deçà de vingt-quatre heures. Le service des travaux publics rejeta prestement les deux offres et le comité exécutif, la conscience en paix, décerna le contrat à Schokbéton.

Si Schokbéton obtint ensuite des conditions si favorables, ce fut peut-être en partie parce que le contrat ne fut négocié et signé qu'après que la ville eût bâti l'annexe à l'usine. Puisque la ville n'avait plus d'autre choix que de faire affaire avec Schokbéton à ce stade, la compagnie pouvait en théorie exiger n'importe quoi. Si ses conditions ne lui plaisaient pas, la ville pouvait difficilement emporter l'usine, qui produisait déjà depuis quatre mois, et se mettre à la recherche d'une autre maison. La compagnie était en excellente position de négociation et il semble qu'elle en ait profité.

Les coûts de Schokbéton devaient monter en flèche comme ceux de tous les autres travaux reliés aux Olympiques, passant de $16 millions à plus de $42 millions, malgré l'intervention de quelques spécialistes parisiens, dont Roger Robert, beau-frère du nouveau président français de Duranceau, Gérard Ruot.

Les pièces de béton devant être moulées avec précision, la compagnie dépensa environ trois millions de dollars simplement pour les coffrages qui furent ensuite mis au rancart. La compagnie, selon un rapport de Lalonde et Valois, attribua l'augmentation de ses coûts à la hausse des coûts de main-d'œuvre (elle dut embaucher mille hommes, bien plus qu'elle n'avait d'abord prévu), à la hausse des « coûts de marquage et de montage de l'acier... (à l'emploi de) spécialistes étrangers... au changement du principe de fonctionnement des cellules ».

Les pièces préfabriquées étaient expédiées au chantier olympique où on travaillait vingt-quatre heures par jour depuis les audiences de janvier, officiellement en vue de compenser le temps perdu à cause des grèves.

Mais Drapeau et Taillibert, encore insatisfaits du projet original, effectuaient divers changements qui retardaient les travaux et augmentaient davantage les coûts.

À l'origine, le stade devait être flanqué de deux immenses parcs de stationnement souterrains, l'un du côté de la rue Viau à l'est et l'autre du côté du boulevard Pie IX à l'ouest, pouvant recevoir au total 4 600 voitures.

Mais à Paris, Taillibert se reprit à penser au garage du boulevard Pie IX, qui devait comprendre deux niveaux souterrains murés et deux niveaux en surface, couverts mais non murés. L'excavation était pratiquement terminée et les travaux préliminaires de construction étaient en train conformément à ses plans.

Le toit devait être simplement recouvert d'un jardin, mais Taillibert décida que ce serait plus joli s'il ajoutait une fontaine gigantesque coulant depuis le toit du garage au niveau de la rue Sherbrooke jusqu'à la rue Pierre-de-Coubertin, 40 pieds plus bas sur le côté sud.

Les ingénieurs étaient sidérés. Le budget du garage du

boulevard Pie IX était anormalement élevé à $16 millions. Si on donnait suite au nouveau projet de Taillibert, il faudrait modifier sensiblement la charpente de l'édifice de manière à renforcer les niveaux inférieurs et murer les niveaux supérieurs.

Ceci impliquait de redessiner les plans de canalisation d'eau et d'électricité et de remanier le système de ventilation aux niveaux supérieurs. Il faudrait inclure dans les coûts l'installation de nouveaux détecteurs de monoxyde de carbone, d'un système additionnel de gicleurs, d'éventails et de moteurs électriques, de pompes et de conduits d'écoulement.

La fontaine que dessinait Taillibert était absolument superbe, la fioriture ultime à son œuvre, « comme le cadre autour d'un tableau ». Et il faudrait l'alimenter de 30 millions de gallons d'eau, l'équivalent de l'approvisionnement quotidien d'une ville de 200 000 âmes.

Les ingénieurs et les consultants, horrifiés et inquiets des coûts supplémentaires et du retard qu'allait entraîner ce caprice, rechignèrent. Taillibert insista et le maire Drapeau intervint pour trancher la dispute en sa faveur.

Lalonde et Valois estimèrent que cette nouvelle extravagance gonflerait les coûts de $8 millions. Finalement, le coût des deux garages, d'abord estimé à $25 millions, s'éleva à plus de $60 millions, c'est-à-dire environ $13 000 pour chacune des 4 600 voitures que logent les garages (ceci dans une ville qui n'est parvenue à construire que 6 000 unités d'habitations à loyer modique entre 1970 et 1975 au coût moyen de $20 000 l'unité).

L'élévation des coûts était la règle au parc olympique puisqu'aucun contrat n'était forfaitaire. Une des façons les plus efficaces de faire grimper les coûts était d'acheter à l'étranger ce qui pouvait être acheté à meilleur marché au Québec.

Ainsi, on chargea une petite société de consultants, Archer-Seaden & Ass. (Archer est le neveu de Mme Georges Vanier, veuve de l'ancien gouverneur général) de faire construire une piste d'entraînement de 400 mètres du côté est du stade dans le parc olympique.

La piste requérait un petit tuyau d'écoulement en U recouvert d'une grille de métal. Les entrepreneurs locaux vous diront qu'au moins cinquante compagnies du Québec auraient pu fournir ce matériel puisque le conduit d'écoulement d'une piste d'entraînement ne diffère pas fondamentalement du conduit d'écoulement d'un trottoir.

Archer-Seaden décida d'acheter le tuyau en Allemagne, payant deux fois le prix. Comme on en pressait, le tuyau fut envoyé par avion, décuplant les frais de transport. À titre de consultant, Archer-Seaden touchait dix pour cent d'honoraires sur le coût.

Les fenêtres latérales du vélodrome exigeaient de la vitre brune commune qui aurait pu être fabriquée par n'importe quelle compagnie québécoise, mais elle fut importée de France.

Les tuiles des piscines dans le mat du stade furent achetées en Allemagne puisqu'aucune société canadienne ne pouvait fabriquer d'assez bonnes tuiles. (Pour que les tuiles arrivent à temps, il fallut mobiliser un brise-glace du gouvernement fédéral pour ménager un passage dans le Saint-Laurent au milieu de l'hiver.)

Au printemps 1975, le stade commença péniblement à sortir du sol.

Les relations entre les divers éléments de l'équipe de l'administration étaient de plus en plus tendues.

Bien qu'il ne fût techniquement qu'architecte consultant, Taillibert tentait de mener le chantier et d'intervenir dans l'attribution des contrats. Il prenait contact avec différents entrepreneurs, les rencontrait à l'hôtel de ville et intercédait en leur faveur s'il les trouvait à son goût.

Il semblait se laisser guider par ses sentiments et sa fantaisie dans le choix des entrepreneurs et le maire, en général, l'écoutait. Les entrepreneurs que Taillibert n'aimait pas, des fois simplement parce qu'ils refusaient de tomber en admiration devant lui, étaient effectivement blackboulés.

Il se comportait comme une prima donna et tentait de prendre la direction des opérations avec l'aide du maire. Drapeau, comme l'ont souvent fait observer tant de gens mêlés au projet, était manifestement séduit par son architecte.

Il était inévitable qu'entre Taillibert et de fortes têtes comme les Desourdy apparaissent des frictions. Roland et surtout Marcel Desourdy, qui passait beaucoup de temps sur le chantier, prenaient ombrage des efforts de Taillibert pour se substituer à eux et leur dire comment travailler.

Lorsqu'il voulait intervenir dans leurs décisions, Taillibert passait donc souvent par le partenaire de Desourdy, Charles Duranceau, qui s'était montré si accommodant durant la construction du vélodrome. Duranceau, qui n'avait pas les relations des Desourdy et était désireux de plaire à Drapeau, intercédait alors en faveur des suggestions de Taillibert. Il en résulta bien des disputes entres les deux principaux entrepreneurs qui devaient travailler de concert.

Quand Desourdy et Duranceau étaient à couteaux tirés, Taillibert s'attaquait de front à Lalonde et Valois et tous les groupes, finalement, se tournaient vers l'autorité suprême, le maire Drapeau. Le maire en vint à être si absorbé dans les opérations quotidiennes du chantier, à s'en préoccuper tellement que pour la première fois de son règne, il commença à déléguer quelques parcelles d'autorité à ses collègues du comité exécutif dans la conduite des affaires de la ville.

Lalonde et Valois, dont le protecteur était le gouvernement provincial par l'entremise de Fernand Lalonde, ne cessaient d'émettre des signaux en direction de Québec pour qu'on renforce leur autorité. Les signaux échouèrent, le premier ministre Bourassa préférant tout laisser entre les mains du maire.

Il y a fort à parier que les choses n'auraient pas marché plus rondement si Lalonde et Valois avaient été investis de plus d'autorité. C'étaient eux qui avaient conçu les structures administratives qui faillissaient si misérablement. Les interventions de l'extérieur n'aidaient certes pas, mais Lalonde et Valois étaient bien capables de cochonner le travail tout seuls.

Le service municipal des travaux publics, et en particulier Claude Phaneuf, qui fut bizarrement celui qui écopa le plus pour le gâchis du vélodrome, tentèrent vaillamment de remonter à la surface et de rattraper l'autorité qu'ils avaient perdue. Mais ils ne réussirent pas et se virent réduits à un rôle d'observateur, même s'ils étaient nominalement en charge du chantier.

Les luttes internes et les manœuvres pour le pouvoir gênèrent singulièrement le processus de décision.

Il devenait difficile de faire exécuter même des tâches anodines. Ainsi, à l'une des rampes d'accès du stade, un petit entrepreneur avait construit les coffrages propres à recevoir le béton. Avant qu'on n'y coule le béton, il fallait que l'administration signe une feuille de contrôle établissant que les coffrages étaient conformes aux spécifications.

Un représentant de Desourdy-Duranceau inspecta les coffrages, suivi d'un représentant du service des travaux publics. Puis, un représentant de Lalonde et Valois les examina avec un ingénieur consultant. Puisque les plans étaient constamment modifiés, personne n'osait signer le premier. Ils se disputèrent, puis tinrent un meeting pour trancher la question tandis que les ouvriers se tournaient les pouces, attendant le feu vert.

Finalement, tous les représentants signèrent la feuille de contrôle et on coula le béton. Deux jours plus tard, on décela une erreur. On démolit donc tout et on recommença le travail.

Les câbles servant à retenir les pièces de béton précontraint des arcs du stade étaient faits d'acier renforcé. Avant de les enfiler et de les sceller dans les sections, on les enduisait d'une substance spéciale en vue d'empêcher la rouille. Le seul problème était qu'une grande quantité de câble avait traîné sur le chantier pendant de longues périodes à cause des retards au cours de l'hiver et avait déjà commencé à rouiller.

Il arrivait que certaines sections du stade ne fassent pas à cause de particularités du dessin. Une fois que les 34 arcs géants furent en place, on remarqua que deux d'entre eux avaient bougé, rendant difficile l'ajustement des sections qui devaient les relier. Quelques pièces se fendirent et on les recolla avec de la résine d'époxy.

Souvent, la résine s'infiltrait dans les creux, bloquant le passage des câbles. Deux des arcs comptent moins de câbles que prévus en raison de cette difficulté.

Lalonde et Valois, qui étaient censés contrôler les coûts,

tentèrent d'éliminer quelques-unes des fioritures du dessin pour économiser.

Ils recommandèrent, par exemple, de supprimer la balustrade de béton de quatre pieds de hauteur qui borde le promenoir tout autour du stade. La balustrade n'a qu'un objet décoratif et coûte environ $2,5 millions. Taillibert protesta et le maire intervint comme il l'avait fait plusieurs fois, pour protéger ce qu'il appelait « l'intégrité architecturale » des plans. Rien ne pouvait être changé.

En fait, pendant toute la période où Montréal dirigea les travaux et où les coûts grimpèrent à un rythme vertigineux, il n'y eut jamais de tentative de réduire les dépenses même d'un cent ou de supprimer le moindre ornement.

Devant les comités parlementaires, en public et en privé, le maire soutint toujours qu'il fallait percevoir le complexe comme un tout. Rien ne pouvait être changé sans altérer le tout. Chaque ligne, chaque piédroit, chaque menu détail : tout était partie intégrante d'une grande œuvre d'art.

« Taillibert, proclamait le maire, est de la classe des architectes qui construisaient autrefois des cathédrales. » (Il omettait de dire que l'un des traits communs à la plupart des auteurs des cathédrales françaises du Moyen Âge est que leurs tours n'étaient jamais complétées.)

Taillibert fit les plans d'un viaduc pour permettre aux athlètes de traverser la rue Sherbrooke entre le village et le stade. Comme pour le reste, il aboutit à un dessin extrêmement tarabiscoté.

Il s'agissait d'un ouvrage compliqué de 600 pieds de longueur, soutenu par un triangle renversé. On estima d'abord qu'il coûterait moins de $5 millions. Mais à cause de modifications apportées à la structure, une société d'ingénieurs informa plus tard le maire qu'il coûterait près de $9 millions, dépense absurde pour un viaduc surtout si on considère que certains passages à niveaux de Montréal n'existent que parce qu'on refuse de dépenser les $2 millions qu'il faudrait pour les supprimer. On aurait déjà épargné $2 millions en substituant des piliers droits aux triangles du viaduc olympique.

Quand les ingénieurs présentèrent leur nouvelle estimation au maire Drapeau à l'hôtel de ville, ils s'attendaient qu'il ordonne des changements et des réductions. Mais le maire s'offensa de cette suggestion, disant : « Je ne veux pas une passerelle de chemin de fer. » Il n'était pas question d'économie et le contrat fut décerné à Atlas Construction à $500 000 d'honoraires, plus les frais.

Les entrepreneurs ne purent trouver d'échafaudages dans la ville parce que presque tout le matériel de la région était déjà en service sur le chantier olympique. Ils durent donc en acheter ailleurs pour $1,5 million.

Même les bancs de béton qui devaient être installés sur le viaduc de la rue Sherbrooke n'échappaient pas à la complexité de l'esprit de Taillibert. Ses plans étaient si entortillés qu'il fallut aux menuisiers une nuit entière pour les déchiffrer. Les coffrages de bois coûtèrent $400 le yard carré plutôt que les $30 ou $40 qu'ils auraient dû normalement coûter.

Le viaduc, quant à lui, coûta $14 millions, plus de deux fois le montant que Montréal dépense pour la réfection des rues dans une année.

Au chantier du stade, les syndicats ne manquaient pas de faire sentir leur présence. L'administration savait fort bien que ses délais étaient serrés et que le moindre retard pouvait chambarder son plan de travail et augmenter considérablement les coûts. Les syndicats le savaient aussi et cherchèrent à en tirer profit.

À l'automne 1974, ils firent pression sur les autorités de la ville et parvinrent à soutirer une prime de 50 cents l'heure, bien que ce fut illégal et contraire au décret provincial gouvernant l'industrie de la construction.

Pour augmenter la pression, ils décrétaient des grèves et des ralentissements de travail (qu'ils faisaient observer quelquefois par la force). L'administration tenta de riposter de diverses façons, notamment en imposant des cartes d'identité et en excluant du chantier « les indésirables et les fauteurs de trouble ». Le régime de sécurité était sévère et la police gardait le chantier comme s'il se fut agi d'un camp militaire.

Les délégués syndicaux n'hésitaient pas à recourir à l'intimidation et à la force pour asseoir leur autorité, tout comme l'avait décrit la Commission Cliche dans son rapport sur la violence dans l'industrie de la construction.

Des consultants sur le chantier disent avoir vu au moins une fois des syndiqués donner une râclée à un contremaître sous les yeux d'un garde qui prétendit plus tard n'avoir rien vu.

On vit plusieurs fois des délégués syndicaux exercer impunément un pouvoir arbitraire en usant de menaces.

La direction tenta une fois de muter un ouvrier affecté à l'un des postes de distribution d'outils et de matériaux. Pour suppléer à son revenu, il vendait des sodas, des gâteaux et des cigarettes avec une forte surcharge. Comme on flânait beaucoup dans sa baraque, la direction tenta de le muter à une autre fonction.

Le délégué d'un syndicat de la Fédération du travail du Québec servit un ultimatum à la direction : « Pas de mutation ou le chantier sera fermé à midi aujourd'hui. » Il demanda, par surcroît, que le surintendant qui avait ordonné la mutation soit congédié. La direction céda.

Les querelles entre syndicats de la Fédération du travail du Québec et de la Confédération des syndicats nationaux étaient aussi une source d'ennui.

Une entreprise de Trois-Rivières, Arno Electrique, fut chargée des travaux d'électricité au garage de la rue Viau et à la chaufferie principale. (L'attribution du contrat fut assez bizarre. Trois compagnies avaient été invitées à soumissionner et Arno avait présenté l'offre la plus élevée à $3,5 millions. Lalonde et Valois estimaient que toutes les offres étaient trop élevées et demandèrent aux trois compagnies de les refaire. Arno, cette fois, présenta la plus basse à $2,6 millions. Six mois plus tard, Lalonde et Valois ajoutèrent $1,6 million au prix.)

Arno Electrique amena des ouvriers de Trois-Rivières avec lesquels elle avait l'habitude de traiter et dont elle connaissait les méthodes. Malheureusement, ils étaient membres de la C.S.N. et le chantier olympique était sous la coupe de la F.T.Q.

La F.T.Q. fit pression sur Arno pour qu'elle remplace

ses ouvriers de la C.S.N. par des hommes de la F.T.Q. et se heurta à une forte résistance de la part des deux gérants de la compagnie, Fernand Boivin et Albert Julien.

Il en résulta de sérieuses frictions qui aboutirent à des ralentissements de travail et, finalement à une grève générale de sympathie. D'autre part, les hommes d'Arno accusaient les représentants syndicaux de vouloir des pots-de-vin pour garder la paix.

Les délégués syndicaux tentèrent une épreuve de force : ils rencontrèrent le propriétaire d'Arno, un certain M. Saint-Arnaud, et le sommèrent de congédier ses deux gérants. Après beaucoup de discussions, on en arriva à un compromis. Julien put retourner sur le chantier, mais Boivin en fut exclu et dut travailler à partir d'un bureau clandestin à cinq milles de là.

La querelle continua et on employa des méthodes plus radicales. À un certain point, un dépôt d'outils d'Arno fut rasé au sol. Un veilleur de nuit dans sa cabane à dix pieds du dépôt d'outils dit qu'il dormait au moment de l'incendie et ne vit rien.

Une trêve agitée fut conclue : Arno consentit à engager d'autres hommes, membres de la F.T.Q., et on l'autorisa à garder ses ouvriers de Trois-Rivières, membres de la C.S.N. La duplication entraîna d'autres complications, la F.T.Q. devant télégraphier au siège social du syndicat à Washington pour obtenir de nouvelles descriptions de tâches.

Au début de janvier 1976, un bureau provisoire de Desourdy fut rasé au sol sur le chantier, entraînant la destruction de plans et de documents et causant $300 000 de dommages. Quelques jours plus tard, un garde de dix-huit ans fut accusé d'y avoir mis le feu. Des malins dirent qu'on avait voulu faire disparaître des contrats compromettants. Ce qu'ils ne savaient pas, c'est que l'immeuble incendié renfermait, entre autres, les bureaux d'Arno Electrique.

L'expérience d'Arno se répéta avec plusieurs autres entrepreneurs, concourant à majorer la note des contribuables.

Plus 1975 avançait, plus le plan de travail semblait fichu et plus les problèmes se multipliaient. La ville réagit en mobilisant plus d'hommes et de matériel, ajoutant à la confusion et au désordre.

Les grues arrivaient sur le chantier à la queue leu leu jusqu'à ce qu'il n'y ait plus de place pour manœuvrer et le matériel s'accumulait à l'avenant. À un certain point, il y avait une forêt de près de 200 grues sur le chantier, les unes venant d'aussi loin que Calgary et louées de $105 à $300 l'heure, 24 heures par jour.

Il semblait que quiconque possédant la moindre pièce d'équipement dans un rayon de 100 milles l'avait portée sur le chantier pour en tirer un loyer.

Partout ailleurs, on utilise rarement plus de deux ou trois grues quelle que soit la taille de l'ouvrage à construire. Taillibert lui-même se faisait fort de dire que son stade du Parc des Princes à Paris avait été érigé tout entier par une seule grue de cent cinquante tonnes.

Tandis que les délais se rétrécissaient, l'efficacité diminuait de façon dramatique sur le chantier en raison de l'encombrement. Doutant que le stade puisse être terminé à temps, les administrateurs du projet avaient l'air de plus en plus désespérés. Toutes leurs tentatives de mettre les bouchées doubles tombaient à plat. Ils ne faisaient que tourner en rond et le chantier sombrait dans l'impotence.

Les ouvriers qualifiés gagnaient $1 500 par semaine pour sept périodes de dix heures, mais ils n'étaient vraiment actifs qu'une couple d'heures. Ils passaient le plus clair de leur temps à attendre tandis que les entrepreneurs et les ingénieurs tentaient de démêler l'écheveau des plans et des horaires de travail.

Les syndicats, déjà insolents, devinrent encore plus outranciers et n'eurent aucun scrupule à employer la force pour soutirer plus d'argent et de pouvoir. Les entrepreneurs, détenant des contrats ouverts qui ne faisaient que les encourager à dépenser, se montrèrent d'une rapacité incroyable. Un entrepreneur, qui détenait des contrats au village et au stade, portait ses frais de main-d'œuvre au compte du stade tandis qu'il envoyait ses hommes au village où les primes d'encouragement étaient plus fortes.

Le maire Drapeau, qui se prenait pour le directeur du projet en dépit du fait qu'il s'y connaissait peu en matière de construction, ne cessait d'intervenir pour préserver « l'intégrité » des plans et exhorter les bâtisseurs incrédules à les réaliser. Il ne faisait ainsi qu'aggraver le chaos. Il avait nettement perdu le contrôle de son projet bien-aimé. C'était devenu un cauchemar incontrôlable et monstrueux dévorant l'argent à un rythme inouï.

Drapeau se mourait d'anxiété tandis que Taillibert pestait contre l'incompétence qu'il croyait voir tout autour de lui. L'animosité entre les bâtisseurs locaux et les associés de Taillibert devint intolérable.

« Le génie vient de France et les bras sont du Québec », dit un jour Taillibert.

Hélas! même son génie était impuissant à éclaircir les myriades de difficultés qui s'abattaient sur son stade. Sa façon d'en venir à bout était ordinairement d'employer plus d'argent, d'hommes et de machines.

Tellement de prétendus experts français s'affairaient sur le chantier à l'emploi de l'agence Taillibert ou des protégés de l'architecte qu'un petit sous-traitant en fut éberlué.

« Je n'ai rien contre le népotisme, confia-t-il à un ingénieur. J'ai même deux fils qui travaillent ici. Mais le bonhomme Taillibert, il a combien d'enfants ? »

Les Jeux Olympiques étaient pour Taillibert une mission rêvée. Les architectes, même dans les meilleures conditions, sont en général soumis à certaines restrictions. Mais Drapeau avait donné au sien la plus grande latitude. Il pouvait faire tout ce qu'il voulait. Les deux hommes s'étaient donné la main et le monde allait voir ce qu'il allait voir.

Ils s'entendaient fort bien et se comprenaient encore mieux. Taillibert était homme de génie et Drapeau un chef d'une vision incroyable. Ensemble, ils allaient construire le plus grand complexe sportif et peut-être le plus grand édifice de l'histoire contemporaine. Toute autre considération, y compris les coûts, était secondaire.

« Le stade est une œuvre d'art et jamais au grand jamais nous n'avons pensé à en modifier les plans, dit le maire au reporter Josh Freed, du *Star* de Montréal. C'eut été comme de sculpter une belle statue dans le bronze et ensuite, sous prétexte d'économiser, de lui faire des pieds en bois. »

Le maire de Montréal aime raisonner par analogie. Et si étrange qu'il y paraisse de prime abord, c'est un homme très sensuel. Il est souvent question de femmes dans ses analogies, qu'il parle du matériau de revêtement du stade ou des pyramides du village olympique s'incurvant sensuellement « autour d'un lac comme une femme ».

Il aime en remettre et multiplier les exemples.

« Ce serait comme d'envoyer une femme ravissante à Paris, dit-il encore à Josh Freed, et de lui faire acheter une belle robe, un beau chapeau, un beau manteau... les plus beaux vêtements...

« Et puis, s'exclama-t-il en lorgnant la tenue débraillée du reporter, et puis de mettre vos bottes de ski! »

Pour trouver son architecte, le maire était allé chez le meilleur couturier de Paris et il lui versait des cachets de haute couture.

Taillibert avait commencé à travailler à plein temps pour la ville en septembre 1971. Près de cinq ans plus tard, il n'avait toujours pas de contrat, procédure plutôt inorthodoxe dans l'administration des affaires publiques. Le maire lui avait versé plus de \$3 millions sous forme d'avances et avait pris soin de ses comptes, mais les deux hommes n'avaient jamais signé de contrat.

On avait préparé un contrat, mais le maire dit qu'il ne fut jamais signé parce que Taillibert cherchait le moyen d'éviter de payer des impôts à la fois au Canada et en France sur ses honoraires. L'excuse était faible puisque le contrat n'avait rien à voir aux impôts. Le problème ne se serait posé que si les impôts avaient été retenus à la source, et encore seulement au moment des paiements.

Le projet de contrat prévoyait un cachet astronomique. La clause 5a attribuait à l'architecte français des honoraires de 3,45 p. 100. La clause 5b stipulait « qu'étant donné le caractère exceptionnel du travail et la nature de son originalité » qui réclamaient la participation de l'architecte « à la coordination et à la préparation des activités de construction », une commission supplémentaire de 1,5 p. 100 devait être versée. Les paiements atteignaient donc au total 4,95 p. 100.

Taillibert avait confectionné les plans du vélodrome, du complexe du stade, du viaduc et des piscines du centre Claude Robillard, établissement situé à quelques milles du parc olympique. Le coût total des travaux de construction de ces ouvrages, suivant une estimation grossière, s'élevait autour de $750 millions. À 4,95 p. 100, les honoraires atteindraient $37 millions.

La pratique architecturale en Amérique du Nord inclut dans ces honoraires tous les frais de génie. Mais Taillibert abandonna la plupart des travaux de génie à la ville. En outre, selon la clause 6 du contrat, la ville entreprenait de payer « tous les frais encourus par des tiers », c'est-à-dire que la ville devait payer « directement ou sous forme de remboursement » à Taillibert toutes les dépenses de son personnel. Puisqu'il eut près d'une centaine de personnes à son emploi durant quelques années, leurs dépenses pouvaient facilement ajouter sept ou huit millions de dollars au contrat.

Mais ce n'est pas tout. D'autres clauses du contrat engageaient la ville à défrayer toute une série d'autres dépenses, depuis les frais d'interurbain et les frais de séjour et de bureau à Montréal jusqu'aux photocalques des bleus et aux primes d'assurance de Taillibert et de son personnel. Voilà qui pouvait ajouter encore un million ou deux, portant le total de la somme due en vertu du contrat de Drapeau à $45 à $50 millions.

Le record précédent en Amérique du Nord avait été la somme de $9,8 millions versée à la société d'architectes Skidmore, Owens & Merrill pour l'école de l'aviation américaine à Colorado Springs, au Colorado. Il convient de noter aussi que le revenu total des 1 200 architectes du Québec en 1974 s'établit environ à $24 millions.

Mais l'élément le plus inusité du contrat, qui fut pleinement respecté par la ville même s'il n'était pas signé tandis qu'elle était en charge des travaux, était les pouvoirs extraordinaires — les uns manifestement illégaux — qu'il conférait à Taillibert. D'abord, la ville concédait à Taillibert « la propriété artistique et intellectuelle » de l'œuvre et entreprenait de « ne rien modifier des projets, des plans et des études effectués par lui sans son consentement ». Puis, le contrat stipulait « qu'advenant quoi que soit (dans le cours des travaux de construction) qui, dans l'opinion de M. Taillibert, requiert un traitement immédiat pour préserver l'intérêt du public et de la ville... M. Taillibert a autorité de prendre toutes les mesures et de donner toutes les instructions qu'il jugera nécessaires ou utiles dans les circonstances au nom et aux frais de la ville.

C'est ce qu'on appelle, en d'autres termes, carte blanche. La ville abdiquait littéralement tous ses pouvoirs et toutes ses responsabilités en faveur de l'architecte personnel du maire.

Dans une clause encore plus curieuse, la ville consentait qu'advenant tout litige, aucun tribunal du Québec n'en puisse être saisi « avant que le président du Conseil régional de l'ordre des architectes de Paris n'ait exprimé son opinion »

Les conditions agréées par la ville sapaient carrément l'autorité de toutes les autres parties sur le chantier. L'entente fut la source de toutes sortes de rivalités et de conflits d'autorité.

À l'été 1975, le marasme était total sur le chantier. Lalonde et Valois revisaient avec empressement les estimations qu'ils avaient faites cinq mois plus tôt. Ils en arrivèrent à la conclusion que les coûts grimperaient d'encore $100 millions jusqu'à $675 millions.

En mai 1975, Fernand Lalonde, du C.C.J.O., arrangea une rencontre entre lui, le député libéral Robert Malouin, également membre du C.C.J.O., le sous-ministre des Transports, Claude Rouleau, les représentants de Lalonde et Valois et le premier ministre Bourassa.

Les hommes parlèrent sans détour au premier ministre. Le chantier baignait dans la confusion la plus totale et il y avait fort à craindre que le stade ne soit pas prêt à temps, mettant la province dans un sérieux embarras. Ils dirent aussi que le processus de décision s'était fracturé et qu'il fallait prendre les moyens d'écarter du chantier cet importun de Taillibert. Pour couronner le tout, les coûts continuaient de monter en flèche jusqu'à devenir insensés.

Le premier ministre réfléchit, mais il décida que Drapeau avait encore trop de prestige à Montréal pour s'en laisser imposer. Il se dit que la majorité des gens à Montréal et dans la province appuyaient Drapeau et le projet olympique. Ils réagiraient mal à l'intervention du gouvernement provincial et Drapeau pourrait s'agiter et faire du trouble.

Après tout, alors que Drapeau était relativement inconnu et faiblement entouré, il s'était attaqué au premier ministre Duplessis après sa défaite à l'élection municipale de 1957. Il avait envisagé de créer son propre parti provincial pour faire la lutte à Duplessis et il avait soulevé pas mal d'intérêt en province, attirant jusqu'à 8 000 personnes à Québec même. Mais il s'était ensuite replié pour préparer sa campagne au municipal.

Non, décida le premier ministre, il valait mieux ne pas contrarier Drapeau. D'ailleurs, la province y était tout aussi empêtrée que la ville. Si quelqu'un devait arranger les choses, il fallait que ce soit le maire.

« Le maire s'en est toujours tiré dans le passé sans l'intervention de la province », dit le premier ministre à ses conseillers.

On décida de mettre sur pied un nouveau comité de quatre membres, le Comité de décision opérationnelle, pour prendre les grandes décisions. Ce comité était composé de Drapeau, de son copain Gérard Niding, de Fernand Lalonde et de Claude Rouleau, qui siégeait aussi au C.C.J.O. et devait plus tard assumer la responsabilité de tout le projet quand la province le prendrait en main.

Ainsi, le premier ministre donnait encore une fois le feu vert au maire.

Pour la forme, le comité parlementaire des Affaires municipales convoqua une autre audience publique en juillet 1975 et le maire fut de nouveau appelé à expliquer le gonflement des coûts.

Drapeau répéta ce qui devenait une rengaine : le vilain de la farce était l'inflation. Avec l'agitation ouvrière et l'obligation de faire travailler les hommes en temps supplémentaire pour rattraper le temps perdu par les arrêts de travail, l'inflation était la grande responsable de la hausse des coûts.

Voyez les coûts de la construction du métro, de l'usine de traitement des égouts et de l'usine d'épuration d'eau, dit-il, ils ont tous grimpé. Et c'est l'inflation qui est à blâmer.

Si l'inflation constituait vraiment un tel facteur, on aurait pu s'attendre que les planificateurs olympiques la prévoient dans l'estimation de leurs coûts. Bernard Lamarre, qui était effectivement le patron de Lalonde et Valois, comparut cet été-là devant le conseil de ville et le R.C.M. lui demanda si ses derniers chiffres tenaient compte de l'inflation prévue pour la prochaine année. Non, confessa Lamarre. Les chiffres de Lalonde et Valois résistaient d'ailleurs rarement à l'examen. Le Parti québécois constata un jour que la société d'ingénieurs avait simplement omis de l'une de ses estimations des frais de financement de $10 millions.

Tout au long de l'été et durant une partie de l'automne, le maire et sa coterie de fonctionnaires et de consultants s'acharnèrent à débrouiller l'indescriptible fouillis de la construction. Sans succès. Et voilà qu'apparut un problème encore plus grave. Si celui-là n'était pas résolu, rien n'irait plus puisque tous les autres en dépendaient : la ville manquait de fonds.

Le plan d'autofinancement avait complètement échoué.

En théorie, Montréal devait payer les ouvrages, les hommes et les entrepreneurs et se faire rembourser par le COJO.

En pratique, les comptes ne faisaient que s'empiler au COJO, qui ne retournait à la ville que des miettes. Le COJO n'avait jusque là remis à la ville que $25 millions provenant de la vente de la monnaie.

La ville devait financer le chantier par des emprunts à court terme. Quand les billets étaient échus, il lui fallait réemprunter ou puiser dans ses coffres pour les rembourser. Avec la montée des coûts, sa dette à court terme atteignit des hauteurs vertigineuses.

La somme qu'elle peut emprunter est déterminée par sa charte et la limite est en rapport avec ses besoins quotidiens.

Les besoins quotidiens du chantier olympique, cependant, épuisaient dangereusement ses ressources.

Dès avril 1975, quand il fallut mettre le paquet sur le stade, la ville se trouva menacée d'un sérieux déficit de caisse. Elle avait presque atteint la limite de ses emprunts à court terme et les taxes n'arrivaient à échéance qu'à l'automne.

La ville ne risquait pas seulement de ne pouvoir faire face à ses obligations olympiques, mais elle avait du mal à réunir les fonds nécessaires pour acquitter la feuille de paie des fonctionnaires.

Drapeau et Niding firent un de leurs nombreux pèlerinages à Québec en quête d'un remède à la crise financière. Ils demandèrent au premier ministre d'augmenter la limite d'emprunt à court terme de la ville. Ils voulaient que son capital de roulement soit porté de $100 millions à $350 millions.

La situation financière de la ville était grave. Il lui avait fallu renoncer à une émission d'obligations de $60 millions sur le marché de New York parce que les taux d'intérêt qu'on lui demandait étaient beaucoup trop élevés.

Bourassa consentit à une augmentation, mais il fixa la limite à $250 millions. La ville se finançait à même son capital de roulement et son ouverture de crédit, limitée à $170 millions. Avec ces deux sources, elle pouvait emprunter jusqu'à $420 millions à court terme.

Bourassa fit passer l'amendement à la charte en trois jours à l'Assemblée nationale. La presse et le public n'y virent que du feu, mais la mesure permettait à la ville de poursuivre la réalisation du projet olympique et de payer ses employés. (Toutes ces jongleries eurent incidemment raison du directeur des finances de la ville, qui démissionna.)

À l'automne, on se retrouva encore au seuil de la même crise. La ville n'avait tout simplement pas les moyens de financer le chantier olympique. Elle arrivait de nouveau à la limite de ses emprunts à court terme. Drapeau et Niding avaient espéré pouvoir augmenter l'efficacité sur le chantier et se débrouiller, mais c'était peine perdue.

Avant novembre, la ville avait déboursé $421 millions au titre des Olympiques et elle avait encore besoin d'au moins

$300 millions. Le COJO lui avait versé $40 millions, grâce à une rentrée récente de $15 millions provenant de la vente des billets de loterie au Québec.

La ville ne pouvait payer les entrepreneurs et s'efforçait de gagner du temps en leur donnant des acomptes ou en atermoyant. Les entrepreneurs commençaient à s'énerver.

Schokbéton, qui avait tant profité de ses largesses, menaça d'arrêter le travail jusqu'à ce que la ville règle ses comptes. Le président de la compagnie, Fernand Bibeau, qui touchait personnellement une prime de $50 000 de la ville, réclama le paiement immédiat d'une somme de $4 millions de manière que Schokbéton puisse « honorer ses obligations et poursuivre le travail ». Il prétendait que la compagnie avait dû emprunter plus de $6 millions à court terme pour acquitter sa feuille de paie et acheter des matériaux.

À moins d'une réponse favorable dans les deux jours, disait-il dans sa lettre, « nous nous considérerons dégagés de l'obligation d'encourir de nouvelles dépenses et nous serons forcés de réduire et éventuellement de suspendre nos activités

« Cette dernière option est lourde de conséquences dont vous n'ignorez certes pas la gravité et pour lesquelles nous ne saurions être tenus responsables. »

La ville n'y pouvait pas grand-chose. Elle était littéralement fauchée et elle était tout à fait incapable de réunir ce qu'il fallait pour payer ses factures olympiques. Les entrepreneurs assiégeaient Drapeau, Niding et Lalonde et Valois.

La ville avait de la peine à écouler ses billets du Trésor. À Montréal normalement, il y a quantité de preneurs pour ces effets à court terme (pouvant aller jusqu'à six mois). En novembre, les preneurs commençaient à se faire plus rares. Les taux d'intérêt grimpaient. La ville était désespérément à court d'argent.

Drapeau et Niding refirent un pèlerinage à Québec afin de trouver une solution à la crise. Ils demandèrent, entre autres, que la province prête $200 millions au COJO de manière que le COJO règle ses comptes. Sinon, la province devrait assurer la responsabilité du projet.

C'était bien caractéristique du maire Drapeau que de rejeter sur le COJO le blâme des impayés. Il ne lui viendrait jamais à l'idée, dans de telles circonstances, de reconnaître qu'il avait été le grand instigateur du projet et qu'il avait échafaudé les plans d'autofinancement qui avaient échoué.

La ville avait des obligations à acquitter à la fin de décembre et il ne semblait pas qu'elle puisse emprunter quoi que ce soit. Les acheteurs d'obligations la traitaient avec la plus grande prudence.

Les sociétés de placement, en particulier les syndicataires américains des émissions de la ville de Montréal et de la Communauté urbaine de Montréal, commencèrent à insister pour que Québec soulage Montréal de son énorme fardeau olympique, qui était presque l'équivalent du budget annuel de la ville.

Les autorités de la ville sollicitèrent l'aide d'Ottawa avec la bénédiction enthousiaste du gouvernement provincial. Le bruit courait que Drapeau et Niding avaient demandé au gouvernement fédéral d'avancer jusqu'à $600 millions pour sauver de la ruine non seulement les Jeux Olympiques, mais la ville elle-même.

Depuis toujours, le maire et sa clique s'étaient complus à penser que le gouvernement fédéral les dépannerait si les choses allaient vraiment mal. C'est en partie pourquoi ils s'étaient montrés si prodigues. Mais Ottawa ne démordit jamais de sa position initiale et cette porte fut fermée à Montréal.

Le premier ministre Bourassa consulta Fernand Lalonde, du prétendu comité de surveillance (C.C.J.O.), examinant les mérites non pas financiers, mais politiques de l'affaire. Les Jeux étaient sur le point de tourner au désastre. Le stade était en retard. La presse était devenue très sceptique et critique. Le public s'inquiétait de la hausse des coûts et de la possibilité que tout cet argent se perde si les installations n'étaient pas livrées à temps.

Quel parti, se demanda M. Bourassa, le gouvernement de la province pouvait-il tirer de ces circonstances ? Serait-il sage politiquement de paraître chasser Drapeau de la scène ? Il lui sembla que la tournure des événements avait gravement

— 163 —

miné le prestige du maire et qu'il serait désormais plus facile de traiter avec lui.

Le choix qui s'offrait au gouvernement était donc le suivant : annuler les Jeux ou les prendre en main. Et l'équation ne se posait pas en termes financiers, mais politiques. Y avait-il un risque politique à prendre la relève de Drapeau ? Y avait-il du capital à gagner ?

Le problème immédiat sur le chantier était d'ordre financier. Il y avait aussi un problème d'organisation, mais c'était le manque de fonds qui risquait de tout fiche en l'air.

Bourassa décida que le jeu valait la chandelle et qu'il y avait même de sérieux avantages politiques à en tirer. En prenant l'affaire en main, son gouvernement passerait pour le sauveur des Jeux.

Ayant pris sa décision, il pressentit quelques-uns de ses principaux ministres et le cadet du cabinet, Fernand Lalonde, pour en prendre la direction. Aucun d'eux n'osait s'y mouiller.

Il était cependant un ministre qui brûlait d'assumer la fonction parce qu'il avait un compte à régler avec le maire de Montreal : le ministre des Affaires municipales, M. Victor Goldbloom.

C'est ainsi qu'à la fin de novembre 1975, la Régie des installations olympiques fut créée pour prendre la direction de tous les travaux de construction dans le parc olympique.

La Régie écarta Drapeau et Taillibert du tableau, renvoyant ce dernier à Paris. Le maire et ses hauts fonctionnaires prétendirent plus tard avoir eux-même suggéré le transfert d'autorité et préparé le brouillon du projet de loi, mais il était évident que la création de la Régie portait un grand coup au prestige de M. Drapeau et représentait sa première grande déconfiture depuis l'échec de l'invraisemblable tour Paris-Montréal lors de l'Expo 67.

Il fit la tête et s'éclipsa pendant dix jours, refusant de commenter l'événement. Il reparut pour la première fois en public en compagnie de Réal Giguère, à l'émission du Canal 10, *Parle, parle, jase, jase.* Giguère a l'habitude de s'entretenir avec des vedettes du spectacle et la politique n'est pas son fort. Ses interviews ne sont pas non plus réputées être du type très prégnant, c'est-à-dire de celles qui, grosses de raison et de conséquences, s'imposent à l'esprit.

Le modèle de l'émission convenait néanmoins à l'humeur du maire qui voulait avant tout communiquer directement avec le peuple. Il parla avec verve, dit qu'il approuvait la Régie et réclama « une alliance sacrée du capital et du travail » pour terminer les travaux à temps.

En privé toutefois, le maire fumait. Il ne voulait pas perdre toute autorité sur le projet.

Il était en furie contre Québec et demanda que la maison Lalonde et Valois et Desourdy, qu'il avait commencé à blâmer pour le désordre de l'administration, soient dépouillés de toute autorité et que la direction du chantier soit confiée au service des travaux publics de la ville. Il menaça même de démissionner comme maire si on ne se rendait pas à sa demande.

Paradoxalement, Gérard Niding, à titre de président du comité exécutif, venait tout juste de signer un contrat avec la maison Lalonde et Valois, lui consentant une somme d'environ $10 millions sous forme d'honoraires et de dépenses. L'entente fut parafée en octobre 1975, plus d'un an après que la maison eut commencé à collaborer au projet, montrant encore une fois la nonchalance et la désinvolture avec lesquelles on traitait ce genre d'affaires. De son côté, Roland Desourdy fit savoir que lui et Duranceau s'attendaient de toucher non seulement leur pleine commission de $9 millions, mais aussi une augmentation substantielle de leur prime contractuelle d'un million en raison de la montée des coûts.

On ne s'entendait pas sur le règlement de la dette que Montréal avait contractée. Gérard Niding estimait notamment que, puisque Québec avait pris toute l'affaire en main, il devait assumer aussi le plein montant de la dette. Niding en avait manifestement plein le dos des chamailleries incessantes parmi les gens associés au projet et il songea sérieusement à démissionner.

Québec consentit à la ville une avance d'environ $200 millions, et peut-être davantage, en l'espace de quelques mois pour lui permettre d'acquitter les billets du Trésor à mesure qu'ils étaient échus. En échange, la ville et la Communauté urbaine de Montréal consentirent à restreindre certains autres grands projets d'équipement, comme l'usine d'épuration des eaux d'égout et l'extension du métro. Le calendrier de ces travaux fut prolongé de cinq ans.

La Régie, sous la direction de Victor Goldbloom et de Claude Rouleau, l'un des délégués provinciaux à l'éphémère Comité de décision opérationnelle, effectua divers changements dans l'administration, mais sans en modifier profondément la structure, en vue d'améliorer l'efficacité sur le chantier. Le service des travaux publics de la ville prêta les services d'environ 125 fonctionnaires à la Régie.

Il n'y eut effectivement que deux changements majeurs : Goldbloom et Rouleau remplacèrent Drapeau et Taillibert et l'argent se remit à rouler. Rien n'améliore l'efficacité d'un entrepreneur autant que de payer sa facture.

Sur le chantier, les méthodes de travail changèrent à peine sous le nouveau régime. La Régie et les délégués de Lalonde et Valois, tout en affectant une certaine discrétion, dénoncèrent le gaspillage et la maladministration qui avaient caractérisé le régime de la ville. Mais dès que Claude Rouleau et les gens de Lalonde et Valois en eurent l'occasion, ils se livrèrent aux mêmes extravagances.

Roger Trudeau, l'un des plus habiles dépanneurs du gouvernement Bourassa, prit charge des opérations quotidiennes sur le chantier sans grand enthousiasme.

Ainsi, quand se posa la question de savoir s'il fallait lambrisser de béton les murs du garage de la rue Viau — contrat de $9 millions dont l'objet était essentiellement décoratif —, ils décidèrent de foncer à pleins tubes.

Où il suffisait d'un simple mur de soutènement en béton, Rouleau et les gens de Lalonde et Valois optèrent pour un mur double dont les deux éléments seraient reliés par une pièce décorative.

Dès qu'ils surent que la province allait régler l'addition, les entrepreneurs et les consultants se remirent à dépenser l'argent à la pelle et à monter les prix.

La Régie arriva avec de bonnes intentions, s'il faut en

croire ses communiqués de presse, mais elle ne put résister au climat de prodigalité du chantier olympique et versa bientôt dans les pratiques qui y étaient courantes.

Victor Goldbloom assuma sa nouvelle fonction avec beaucoup d'assurance. Il avait le sens des relations publiques et sut tirer le meilleur parti des moindres mesures, comme d'ordonner le retrait du chantier d'environ la moitié des grues, devenues un symbole d'inefficacité. Les journaux du lendemain vantèrent à pleine page l'esprit de décision de Goldbloom et de la Régie. Ils omirent toutefois de mentionner que les travaux d'érection du stade étaient en grande partie terminés et que la ville était elle-même sur le point de retirer les grues.

Lalonde et Valois furent autorisés à faire venir une société française, Francis Bouyghes, qui avait supervisé les travaux de construction du Parc des Princes à Paris, œuvre de Taillibert. Bouyghes connaissait bien la technique de Taillibert, mais l'architecte s'était toujours opposé à ce qu'on retienne ses services parce qu'il s'était constamment chicané avec elle à Paris. Le maire et Taillibert s'offensèrent de cette décision et le maire menaça de nouveau de démissionner.

Goldbloom paraissait s'amuser follement de toute l'affaire. Il ne lui répugnait manifestement pas de rendre au maire l'humiliation qu'il lui avait fait subir lors des audiences sur le village olympique. Publiquement, il rejeta le blâme sur les épaules du maire pour tous les problèmes et mit en doute sa compétence. En privé, il disait s'inquiéter de la santé mentale de Drapeau. Il confia à des amis que le maire avait explosé et menacé de démissionner trois ou quatre fois et dit que certains de ses collègues à Québec commençaient à penser qu'il perdait la boule.

Des sources autorisées à Québec dirent que la Régie examinait un système mystérieux de double soumission mis sur pied par le comité exécutif de la ville. Selon ces sources, quand on invitait des entrepreneurs à soumissionner, on leur disait de présenter un prix moindre que celui qu'ils voulaient de manière à donner l'apparence de prix raisonnables. Plus tard, après le début des travaux, le prix était revisé à la hausse.

La Régie devait se débattre contre des délais extrêmement courts. Elle se pencha sur divers plans d'urgence tandis que ses experts essayaient de voir s'il était possible de mettre un peu d'ordre dans le programme de construction.

Mais le premier souci de la Régie était de bien paraître aux yeux du public et elle fit de son mieux pour donner l'impression que les choses s'arrangeaient et que Québec sauverait les Jeux de Montréal.

À Québec, on avait en fait considéré très sérieusement la possibilité d'annuler carrément les Jeux à la fin de 1975. L'un des dirigeants du COJO rappelle avec amertume que ce qui avait surtout préoccupé les participants à cette discussion n'était pas les Jeux Olympiques ni leur coût, mais la survivance du Parti libéral.

Le maire tenta hardiment de récupérer une certaine autorité sur la planification des Jeux, mais Québec était résolu à l'en exclure totalement.

À mesure qu'approchait la date d'ouverture des Jeux, la Régie et le gouvernement provincial prenaient de plus en plus d'assurance dans leur nouveau rôle.

Réduit à justifier son régime, Drapeau n'épargna personne, sauf lui et Taillibert.

Il dénonça Les Terrasses Zaroléga. Il accusa Lalonde et Valois de mauvaise administration, non sans raison. Il proposa que Schokbéton soit nationalisée pour préserver « le patrimoine industriel » du Québec, sans doute aussi pour se venger de la menace de la compagnie de suspendre sa production si ses factures n'étaient pas payées.

Il accusa enfin les ingénieurs et les techniciens locaux de xénophobie pour leur répugnance à collaborer avec Taillibert et les spécialiste qu'il avait importés.

Mais le maire prit surtout le parti de se renfermer même s'il commença à recevoir de plus en plus de visiteurs à son bureau de l'hôtel de ville.

Surmontant son mépris bien connu pour les journalistes, il consentit de nouveau à leur parler, mais afficha une certaine préférence pour les journalistes étrangers. Dégagé de la tâche écrasante de la planification olympique, il accepta même de parler d'autres choses que des Jeux. Au cours d'une interview de sept heures avec un reporter local, il alla jusqu'à expliquer comment il avait tramé la carrière de journaliste sportif de son fils et notamment son apprentissage en France.

Il se produisit devant des cercles d'hommes d'affaires, d'abord la Chambre de Commerce et puis le Board of Trade. À la Chambre de Commerce, il fit un remarquable discours, ponctué de pauses-café de dix minutes et diffusé en direct à la radio.

Il situa Montréal dans sa perspective historique et s'étendit longuement sur de Maisonneuve, fondateur de la ville, le fleuve Saint-Laurent et l'aéroport Mirabel, clé de l'avenir. Il parla aussi de vieux thème nationaliste de la « revanche des berceaux », incitant le Canada français à augmenter sa natalité pour garantir se survivance dans la mer anglophone d'Amérique du Nord.

C'est devant le Board of Trade qu'il se compara indirectement à Périclès, rappelant que durant l'âge d'or d'Athènes, Périclès avait été critiqué pour avoir construit le Parthénon plutôt que des navires de guerre. « Je préfère, quant à moi, être honni maintenant et compris plus tard », déclama-t-il.

Dans son cabinet, il louait la magnificence du complexe olympique et le proposait à l'admiration de tous ses visiteurs. Il s'agitait autour de la maquette qu'il gardait près de sa table, en faisait une description détaillée et en détachait des sections pour bien montrer à ses hôtes comment tout avait été conçu.

« On prétendait que c'était irréalisable, s'exclama-t-il devant l'un de ses visiteurs en montrant la maquette, mais voilà! C'est fait... c'est là! »

Taillibert parti, la Régie ne se gêna plus pour modifier certains aspects de ses plans afin de sauver du temps. Les ingénieurs suggéraient depuis longtemps qu'on construise une partie des gradins inférieurs du stade en acier plutôt qu'en béton précontraint. La Régie se rendit à leur suggestion, écourtant les travaux de quelques semaines.

« Taillibert est l'homme du béton, avait toujours proclamé Drapeau, pourquoi parler d'acier ? »

Taillibert avait imprégné le maire de sa mystique du béton. Il parlait souvent du béton comme de « pierre recyclée » et faisait observer que tous les anciens monuments étaient en pierre, parallèle qui ne manquait pas d'émouvoir le maire Drapeau.

Taillibert fit l'une de ses rares apparitions publiques à Québec au début d'avril 1976, à une réunion de l'Association du béton du Québec. Il captiva son auditoire par de belles envolées philosophiques sur l'usage qu'il faisait de ce matériau.

Il refusa de parler des problèmes olympiques ou de ses honoraires que le gouvernement provincial essayait de ramener à moins de $15 millions. « Je suis venu ici vous parler de béton... pensez à tous les grands artistes et vous verrez qu'ils ont été maudits de leur vivant. »

Le rêve de Drapeau et de Taillibert ne s'est pas payé qu'en argent, mais aussi en vies humaines.

Le jour où Taillibert faisait à Québec l'éloge du béton, le premier ministre Bourassa et Victor Goldbloom se préparaient à visiter le chantier. Ils pensaient y faire une rentrée triomphale. Une heure avant leur arrivée, un ouvrier fut écrasé à mort sous une charge de bois. C'était le douzième homme à périr sur le chantier des Jeux.

Même sur des questions aussi graves que la sécurité du travail et les accidents mortels, les autorités olympiques n'arrivaient pas à s'entendre. Lorsque quatre hommes périrent dans la chute d'une section de béton qu'on était en train d'ajuster, la Régie prétendit que l'accident portait à sept le nombre d'hommes tués sur le chantier.

Les syndicats ripostèrent, avec preuves à l'appui, que onze hommes étaient morts. La Régie expliqua qu'elle ne comptait que ceux qui avaient péri sur le chantier et non pas ceux qui étaient morts des suites de blessures encourues au travail.

Néanmoins, la Régie réussit à résoudre la plupart des problèmes immédiats, au moins pour ce qui était de livrer le stade à temps pour l'ouverture des Jeux.

Au lendemain des Jeux, d'autres problèmes surgiront. Dans la précipitation des derniers mois, plusieurs questions ont été laissées sans solution. Quelques-uns des arcs du stade se sont fendus sous l'action des glaces qui se sont formées dans les sections exposées. Les responsables devront aussi veiller à l'examen d'un rapport d'ingénieurs qui révèle que la section permanente du toit couvrant les gradins pose un problème aérodynamique. Il semble qu'en raison de la manière dont la section est construite, les vents produisent un effet de soulèvement. Il est donc possible qu'advenant des vents assez forts, le toit se soulève.

Après que la Régie eut pris la direction du chantier, le maire de Montréal se retrouva les mains vides, sans grand projet à réaliser. N'étant pas homme à rester inactif longtemps, il ordonna et supervisa d'importants travaux de rénovation dans son cabinet de l'hôtel de ville.

CHAPITRE 9

Les Jeux de la honte

« *Ceux qui liront (l'Album des sports olympiques) seront étonnés par la grandeur des aspirations de l'homme et convaincus des avantages que présente pour tous les pays l'implication dans les programmes olympiques.* »

Roger Rousseau,
introduction à l'Album officiel
des sports olympiques.

Dans une zone résidentielle à peu de distance du parc olympique, on a construit le plus petit, le moins cher ($13 millions) et éventuellement le plus utile des ouvrages olympiques parce qu'il servira au quartier où il est situé. Il porte le nom d'Étienne Desmarteau, héros oublié d'une époque olympique désormais révolue.

Desmarteau était un policier de Montréal qui avait demandé congé au service de la police pour prendre part aux Jeux de 1904 à St. Louis, l'une des attractions secondaires de l'exposition mondiale popularisée par le célèbre *Meet me in St. Louis.* Le chef de police lui refusa l'autorisation, mais Desmarteau y alla quand même et participa à l'épreuve de lancement du poids de 56 livres. Le conseil de ville s'apprêtait à le congédier quand la nouvelle lui parvint que Desmarteau avait remporté la première médaille d'or olympique du Canada.

Les Jeux Olympiques avaient été rétablis huit ans plus tôt par le baron Pierre de Coubertin, qui en avait eu l'inspiration au cours d'une étude des systèmes d'éducation qu'il fit pour la Commission de la réforme éducative en France.

Dans le cadre de ses recherches, le baron avait visité plusieurs pays : l'Angleterre, l'Allemagne, la Suède, les États-Unis et même le Canada, qui l'avait fort peu impressionné. (Il était particulièrement sévère à l'égard du Canada français et il écrivit plus tard que les Canadiens français formaient « une race douée de grandes qualités, qui possède tout, sauf l'initiative et l'indépendance d'esprit ».)

Le système d'éducation qui avait le plus frappé de Coubertin était l'école publique (qui est en fait privée) anglaise, qui insistait sur la pratique des sports. Un système scolaire mettant l'accent sur le châtiment corporel, les classiques grecs et l'exercice physique et produisant une si belle élite, était de nature à plaire au baron, qui avait été forcé de quitter l'école militaire à cause de sa constitution fragile.

Les Jeux Olympiques lui apparaissaient comme une façon de perpétuer ces valeurs. Les premiers Jeux modernes eurent lieu à Athènes en 1896. Les coûts, d'abord estimés à 200 000 drachmes, s'élevèrent à plus d'un million et les sièges du stade ne furent pas livrés à temps.

Les Jeux se succédèrent par la suite tous les quatre ans, conservant un caractère modeste et amateur. À St. Louis, les Jeux furent infestés par cet esprit de mercanti typique du Midwest au tournant du siècle. De Coubertin et ses collaborateurs en furent si bouleversés qu'ils organisèrent des Jeux spéciaux en milieu d'olympiade à Athènes, en 1906.

En 1936 déjà, les Jeux Olympiques étaient devenus si imposants et si prospères qu'ils étaient exposés à être détournés de leurs fins par quiconque voulait s'en emparer. Les idéaux de noblesse de corps et d'esprit du baron de Coubertin n'avaient pas fait long feu.

C'est Adolf Hitler qui pervertit le premier l'esprit des Jeux, se servant des Jeux de 1936 à Berlin comme d'un véhicule de propagande pour sa doctrine raciste et nationaliste. Les Jeux de Berlin restèrent jusque dans les années '60 les plus spectaculaires et les plus coûteux des temps modernes. Les nazis avaient compris ce que pouvaient leur apporter les Jeux en termes de prestige et d'exaltation nationaliste et ils en avaient tiré parti. Il n'y eut que le courage et l'adresse du Noir américain Jesse Owens, qui remporta trois médailles d'or, pour empêcher les Jeux de 1936 de marquer le triomphe de la propagande nazie. (Quarante ans plus tard, Owens allait être utilisé pour faire mousser la vente de la monnaie olympique canadienne à la télévision américaine.)

Bien que né dans la noblesse, de Coubertin était sans le sou et virtuellement oublié lorsqu'il mourut à Lausanne un an après les Jeux de Berlin.

La grande pompe teutonique fut suivie d'une guerre horrible pendant laquelle les Jeux n'eurent pas lieu. Les Jeux suivants, à Londres en 1948, furent un succès et conformes à l'esprit original. La corruption réapparut à Rome en 1960. (Ironie du sort puisque c'était un empereur romain, Théodose, qui avait aboli les Jeux anciens en 394 après Jésus-Christ parce qu'il les considérait comme des rites païens.)

L'argent coula à flot. Les Jeux furent télévisés mondialement pour la première fois et les Italiens prirent prétexte de l'événement pour se donner toutes sortes de routes et d'équipements, dépensant au total un demi-milliard de dollars. Le village olympique commença à se désintégrer après les Jeux et les bâtisseurs furent envoyés en prison pour avoir utilisé des matériaux de mauvaise qualité. L'esprit moderne des Jeux était désormais fermement implanté.

Les Jeux de Tokyo, en 1964, furent l'occasion d'ouvrages encore plus importants et de dépenses encore plus grandes. Les Japonais ouvrirent une nouvelle ligne de chemin de fer entre Osaka et Tokyo, construisirent des autoroutes et toutes sortes d'autres installations coûteuses pour montrer au monde la prospérité de leur pays. Le caractère athlétique des Jeux était devenu nettement secondaire.

Les Jeux suivants, à Mexico, répétèrent l'extravagance de Tokyo et firent un pas de plus. Des manifestants étudiants qui voulaient protester contre l'absurdité d'un tel événement dans le contexte du sous-développement tombèrent dans une embuscade préparée par les milices de droite. Plus d'une centaine d'étudiants furent tués.

En plus de la politique, le commercialisme refit son apparition aux Jeux de 1968. Dans un cas tout au moins, l'un et l'autre se réunirent pour former d'étranges compagnons.

Adidas est une grande société allemande qui se spécialise notamment dans la fabrication de chaussures de sport. La compagnie, fondée avant la deuxième guerre mondiale, est la plus importante au monde.

L'homme qui créa Adidas la légua à ses deux fils, qui n'étaient pas en très bons rapports. Ils administrèrent la compagnie durant la guerre mais en 1945, l'un des frères dénonça l'autre comme criminel de guerre et le fit incarcérer. À sa sortie de prison, il récupéra ses actions d'Adidas et fonda une compagnie rivale, Puma.

Adidas et Puma sont peut-être les deux seules compagnies au monde qui se font concurrence au sens classique du terme. Bien qu'elles soient toutes deux établies dans la même ville d'Allemagne, il n'existe entre elles aucune connivence, simplement de la haine.

Quand les Jeux furent attribués à Mexico, Adidas prit des dispositions pour en exclure Puma. Elle signa une entente avec le gouvernement mexicain lui donnant l'exclusivité des droits de vente de chaussures durant les Jeux en échange de la promesse d'établir une usine à Mexico.

Puma eut vent de l'affaire et dépêcha des agents aux États-Unis pour mettre sous contrat exclusif plusieurs athlètes susceptibles de remporter des médailles. Au prix de beaucoup d'argent et d'efforts, elle réussit à s'assurer que sa marque de chaussures serait convenablement exposée aux Jeux de Mexico.

Les agents d'Adidas ripostèrent en offrant à leur tour des pots-de-vin aux athlètes.

Tandis que les Jeux étaient en cours, quelques athlètes noirs américains décidèrent de profaner l'hymne national américain en levant le poing droit ganté de noir à la manière du Black Power, s'ils remportaient des médailles, afin d'attirer l'attention du monde sur le sort de leurs compatriotes.

John Carlos et Tommy Smith, concurrents à l'épreuve de 400 mètres, envoyèrent une amie acheter deux paires de gants noirs au cas où ils sortiraient vainqueurs de la compétition. Elle n'en trouva qu'une paire. Tandis qu'ils se demandaient ce qu'ils allaient faire, un agent de Puma vint leur proposer une solution : il leur offrit $5 000 s'ils voulaient tenir dans leur main gauche non gantée des souliers de marque Puma. Ils acceptèrent. Ainsi, tandis qu'ils posaient un acte politique, attirant sur eux l'attention du monde entier, Smith et Carlos, médailles d'or et d'argent, faisaient de la réclame pour les chaussures Puma.

Aux Jeux suivants à Munich en 1972, des artistes peignirent une grande fresque représentant un coureur. La fresque était située à l'entrée du stade et le coureur portait des souliers Adidas.

À Munich, les Allemands, voulant expier les restes du sentiment de culpabilité qu'ils traînaient depuis Hitler, dépensèrent plus de $850 millions, mais ce chiffre comprenait une nouvelle ligne de métro, de nouvelles routes et d'autres coûts qui ne sont pas inclus dans la note de Montréal. On s'accorda généralement pour dire que les Jeux de Munich furent bien organisés et couronnés de succès. Mais le terrorisme intervint et l'histoire se rappellera de Munich comme d'un bain de sang.

Le Comité international olympique savait que l'entreprise olympique faisait fausse route quand vint le temps d'attribuer les Jeux de 1976, à Amsterdam en 1970. Montréal remporta son adhésion précisément parce qu'elle semblait comprendre le problème et promettait de revenir aux sources en présentant des Jeux modestes.

L'aventure olympique de Montréal est d'autant plus malheureuse qu'existait en germe la possibilité de réaliser cette promesse.

Des Jeux modestes, s'autofinançant, n'étaient pas impensables. La loterie et la monnaie auraient pu suffire à en défrayer le coût. Il n'y avait pas de problème de revenu, simplement des problèmes de dépense et d'organisation.

Ainsi, si la ville avait décidé en faveur d'un vélodrome du genre de la piste d'urgence de $400 000 qu'on a construite en six semaines pour les championnats mondiaux de cyclisme en 1974, elle aurait épargné plus de $70 millions. Elle aurait pu suivre son propre exemple et mettre à profit l'imagination qu'elle avait montrée en construisant le stade du parc Jarry pour le club de baseball des Expos. Le stade n'a pas coûté beaucoup plus que $4 millions et il est fort apprécié justement parce qu'il est modeste.

Avec des méthodes de construction classique et un modèle sobre, on a construit un stade de football de 61 000 sièges en 326 jours au coût de 6,7 millions à Foxboro, dans le Massachusetts. À Seattle, Washington, on a construit un stade couvert durant la même période d'inflation galopante dont Montréal est censée avoir été victime, mais il n'a encore coûté que $60 millions.

Avec leur flair et leur imagination, le maire Drapeau et le service des travaux publics auraient pu probablement le réaliser encore à moins cher, épargnant plus de $600 millions.

Si la ville avait accepté d'éparpiller le village olympique et lui avait donné une vocation de H.L.M., il aurait été financé tout entier par la S.C.H.L. Des fonds fédéraux et provinciaux sont disponibles pour le logement à loyer modique, mais la ville n'en a jamais fait convenablement usage parce que l'habitation n'est pas une priorité de l'administration Drapeau. La ville aurait également pu mettre en œuvre le projet de son propre service d'urbanisme d'utiliser les résidences d'étudiants de McGill et de l'Université de Montréal.

Le maire Drapeau et le Parti civique ont toujours soutenu que la ville avait besoin de toute manière des installations qui seraient construites et que les Jeux étaient un bon prétexte à se les faire donner.

En fait, le logement à loyer modique était la seule de toutes les choses dont la ville avait vraiment besoin qu'elle aurait pu obtenir gratuitement à la faveur des Olympiques. Elle aurait d'ailleurs pu l'obtenir gratuitement, par l'entremise des programmes fédéraux et provinciaux, sans même l'excuse des Olympiques. Plutôt que le logement dont la ville a un pressant besoin, la province se retrouve maintenant avec d'inutiles pyramides de $95 millions sur les bras. La ville aurait pu construire 900 unités d'habitation à loyer modique pour $20 millions — qu'elle n'aurait pas eu à porter au budget direct des Jeux Olympiques — et économiser ainsi $75 millions.

Si ces mesures avaient été prises, les deux ouvrages olympiques qui risquent d'être vraiment utiles à la population de Montréal — le centre de natation Claude Robillard qui a coûté $60 millions et le centre Étienne Desmarteau qui a coûté $13 millions — auraient coûté beaucoup moins cher. Si le reste des travaux olympiques n'avait pas faussé le prix des matériaux, des fournitures et de la main-d'œuvre et virtuellement anéanti la procédure d'adjudication des contrats, plusieurs millions auraient pu être économisés.

Le COJO aurait pu aussi être structuré de façon plus cohérente et plus efficace, sur le modèle du comité d'organisation des Jeux de Munich qui employait la moitié moins de monde.

À Munich en plus, tout le travail s'est fait à l'intérieur. On n'a presque pas commandé de travail à l'extérieur ni gaspillé de millions en honoraires de consultation. On aurait donc pu économiser du haut en bas de l'échelle.

Montréal a toujours réussi à tout faire de la manière la plus chère.

L'idée du maire Drapeau de présenter des Jeux simples qui feraient leurs frais était pleine de sens. Mais ou bien il ne voulait pas, ou bien il ne savait pas comment la mettre en application.

Eût-il réussi, la question se poserait toujours de savoir si les Jeux Olympiques, compte tenu de ce qu'ils sont devenus, tendent vraiment au but qu'on leur propose, qui est de favoriser le développement du sport amateur, pour ne pas parler de la paix et de la bonne entente internationale.

L'Allemagne de l'Est, dont le programme de sport amateur est peut-être le plus vigoureux au monde, a fait savoir officiellement qu'elle ne songerait jamais à solliciter les Jeux Olympiques. Les Allemands de l'Est disent que le concept actuel des Jeux est en contradiction avec leur philosophie du sport amateur.

Les Jeux requièrent des installations fortement centralisées qui servent ensuite davantage aux sports de spectacles qu'aux sports de participation (le parc olympique de Montréal en est un exemple frappant). Les Allemands de l'Est ont déjà opté il y a longtemps pour des installations décentralisées, c'est-à-dire de petits centres sportifs là où se trouvent les gens, dans les quartiers, les petites villes, les villages et les zones résidentielles des grandes villes.

Ils visent à augmenter la participation, à favoriser le développement des sports locaux, à améliorer la santé nationale et, indirectement, à réduire le coût des services de santé. Ils estiment que l'argent qu'ils dépensent pour améliorer le conditionnement physique de la population leur revient sous forme de diminution des frais médicaux. Les services de santé sont justement un domaine où les dépenses augmentent de façon spectaculaire au Canada.

Recevoir les Jeux Olympiques sans les intégrer à des objectifs sociaux et nationaux est un vaste gaspillage d'argent, de temps et d'énergie.

Considérons le coût des Jeux Olympiques en regard de certaines autres entreprises canadiennes.

Le coût direct des Olympiques dépassera, semble-t-il, $1,4 milliard. Les revenus demeurant conformes aux prévisions de $400 millions, on en arrive donc à un déficit d'environ un milliard. La voie maritime du Saint-Laurent, l'une des grandes réalisations d'après-guerre, fut parachevée en 1959 au coût de $470 millions, dont le quart fut soldé par les États-Unis. En tenant compte de l'inflation dans le secteur de la construction non domiciliaire, selon Statistiques Canada, le coût de la Voie maritime s'élèverait à 1,23 milliard en dollars de 1975. Le pipe-line transcanadien d'une longueur de 2 200 milles, parachevé en 1958, coûterait $970 millions en dollars d'aujourd'hui.

La nationalisation de l'électricité, la plus grande opération financière du Québec avant 1970, ne coûta que $600 millions, somme qui, transposée en dollars d'aujourd'hui, reste moindre que le coût des Olympiques.

Aux taux actuels, un investissement d'un milliard à Montréal aurait pu signifier des logements à loyer modique pour 120 000 personnes (40 000 unités à $25 000). Pensons qu'à Montréal, 15 000 logements n'ont pas l'eau chaude et 11 000 n'ont ni baignoire ni douche.

Considérant que la Commission des transports de Montréal prévoit des revenus de $100 millions en 1976, un milliard
aurait permis d'offrir la gratuité des transports publics pendant dix ans. Ou il aurait pu servir à construire 400 arénas
communautaires à travers la province.

Le problème vient en partie de ce que le maire Drapeau
n'a pas la notion des vrais besoins. Mais le maire n'envisageait pas non plus que les Olympiques deviendraient le cauchemar qu'ils furent. Les Jeux sont simplement devenus trop
gros et trop attrayants pour ceux qui ne recherchent que leur
profit — les administrateurs, les entrepreneurs, les consultants et, sur une plus petite échelle, les ouvriers qui ne voyaient
pas de raisons de rester à l'écart tandis que tous les autres
se gavaient — pour que même Drapeau ait pu en conserver
les rênes. Et à cause du système de gouvernement particulier
institué par le Parti civique, de l'indifférence et de la timidité
du gouvernement provincial, il n'y eut pas d'autres formes
de contrôle et de vérification.

L'usage de fonds publics pour promouvoir des intérêts
privés n'est pas un phénomène nouveau, mais il a pris des
dimensions sans précédent à notre époque. Chaque fois que
le secteur public investit de vastes sommes d'argent, il faudrait
que l'action s'accompagne d'un sens de l'intérêt public, du
contrôle public, de la responsabilité publique et de la moralité
publique. L'aventure olympique de Montréal fournit une illustration tragique de ce qui peut se produire lorsque ce sens
n'existe pas.

Les Montréalais, peut-être parce qu'ils étaient suffoqués
par la dimension du projet, éprouvaient un sentiment d'indifférence et d'impuissance à l'égard des Jeux Olympiques
et de leurs gouvernements. Ce n'est pas sain. Georges Bernard
Shaw disait que le seul malheur de la chrétienté était qu'on
n'en avait pas fait l'essai. Le seul malheur de la démocratie
à Montréal, c'est qu'on n'en a pas encore fait l'essai.

Index des noms propres
et usuels des Jeux de Montréal

A.B.C.: Cf. American Broadcasting Corporation.

American Broadcasting Corporation: Réseau américain de télévision qui, à la faveur d'un marché secret, obtint les droits de télédiffusion des Jeux Olympiques de Montréal pour la somme de $25 millions.

A.O.C.: Cf. Association olympique canadienne.

Association olympique canadienne: Corps dirigeant des affaires olympiques au Canada. Endossa les candidatures de Montréal en 1966 et en 1970 auprès du Comité international olympique.

Berthiaume, Adrien (Ted): Chef de l'administration au COJO; frère de Paul Berthiaume, ministre des Transports du Québec et ex-associé de Simon Saint-Pierre.

Bérubé, brigadier-général Robert: Chef de l'équipe des forces armées canadiennes en charge du centre d'information du COJO.

Boileau, Charles: Chef du service des travaux publics de Montréal.

Bourassa, Robert: Premier ministre du Québec (1970-), grand responsable des Jeux olympiques à la suite de leur prise en main par la province en novembre 1975.

Bromont, bande de: Caste privilégiée qui réunit les amis et les associés de la famille Desourdy, qui possèdent des maisons dans le fief des Desourdy à Bromont ou qui y sont de fréquents visiteurs.

Brundage, Avery: Président du Comité international olympique avant 1972.

Carrière, Marc: Homme d'affaires de Montréal, qui participe aux rencontres du Club Canadien sur les Jeux Olympiques. L'un des membres de la bande de Bromont, il collabora à la fondation de Bromont avec Roland Desourdy.

C.C.J.O.: Cf. Comité de contrôle des Jeux Olympiques.

Chantigny, Louis: Collaborateur de la première heure de Jean Drapeau dans l'entreprise olympique, plus tard haut fonctionnaire du COJO. Biographe officiel de Paul Desrochers, avec Jean Loiselle.

Charbonneau, Pierre: Président de l'Association d'athlétisme du Québec et l'un des tout premiers collaborateurs de Jean Drapeau dans l'entreprise olympique. Plus tard vice-président du COJO délégué aux sports. Mort en 1975.

C.I.O.: Cf. Comité international olympique.

COJO: Cf. Comité d'organisation des Jeux Olympiques.

Comité de contrôle des Jeux Olympiques: Comité de surveillance établi conjointement par la ville de Montréal et par le gouvernement provincial, il ne joua qu'un rôle mineur dans les préparatifs des Jeux.

Comité de décision opérationnelle: Comité éphémère établi par le premier ministre Bourassa peu de temps avant la prise en main de l'organisation des Jeux par le gouvernement provincial en novembre 1975.

Comité exécutif: Bras exécutif du conseil de ville de Montréal, chargé de l'attribution des contrats olympiques.

Comité international olympique: Corps dirigeant des Jeux Olympiques. Attribua les Jeux à Montréal en 1970 et exprima par la suite beaucoup de réserves sur les méthodes de travail des autorités des Jeux de Montréal.

Comité d'organisation des Jeux Olympiques: Organisme responsable de l'organisation des Jeux et de la construction des installations olympiques à l'extérieur de Montréal. Bailleur de fonds du village olympique.

Coubertin, baron Pierre de: Aristocrate français qui rétablit les Jeux modernes en 1896.

Daigle, Baker: Vice-président de Duranceau et chef de la division du génie qui n'arriva pas à s'entendre avec Roger Taillibert et fut forcé de démissionner.

Daoust, André: Architecte en chef de la ville de Montréal, membre du comité qui visa les plans du stade et architecte titulaire du complexe olympique.

Daume, Willi: Industriel de l'Allemagne de l'Ouest, commissaire général des Jeux de Munich en 1972 et critique sévère des Jeux de Montréal.

Desourdy Construction: Entreprise dirigée par Roland Desourdy qui fut chargée de la construction des installations équestres de Bromont et, en société avec Charles Duranceau, du stade olympique.

Desourdy, famille: Puissante famille québécoise, virtuellement propriétaire de Bromont et en particulier des terrains sur lesquels furent construites les installations équestres; domine la bande de Bromont; propriétaire de Desourdy Construction.

Desourdy, Germain: Membre de la famille Desourdy et maire de Bromont.

Desourdy, Roland: Doyen de la famille Desourdy et président de Desourdy Construction. Participa aux discussions du Club Canadien sur les Jeux de Montréal.

Desrochers, Paul: Homme d'affaires québécois. Ex-conseiller et éminence grise de Robert Bourassa. Participa aux discussions du Club Canadien. Directeur du COJO et principal négociateur de l'entente secrète avec A.B.C. sur les droits de télédiffusion des Jeux de Montréal.

Dominic Supports and Forms Ltd: Sous-traitant au chantier du village olympique. Avec Formco-N.A.F. Ltd, elle toucha des primes fabuleuses pour avoir complété les travaux avant terme.

Drapeau, Jean: Maire de Montréal (1954-1957 et 1960-   ). Instigateur, animateur et souvent directeur des opérations quotidiennes du projet olympique.

Dubois, Yvan: Maire du village olympique et négociateur du contrat de construction du village qui fut attribué aux Terrasses Zaroléga.

Dupire, Jean: Membre du personnel de Jean Drapeau qui collabore à la candidature de Montréal auprès du Comité international olympique.

Duranceau, Charles: Bâtisseur du vélodrome et, en société avec Desourdy Construction, du stade olympique.

Formco N.A.F. Ltd: Sous-traitant au village olympique. Gratifié, avec Dominic Supports and Forms Ltd, d'une prime fabuleuse pour avoir terminé les travaux avant terme.

Gaty, Andrew: Partenaire des Terrasses Zaroléga.

Goldbloom, Victor: Ministre de l'Environnement et plus tard des Affaires municipales du Québec. Tenta vainement d'empêcher la construction du village olympique au parc Viau en 1973. Président du comité parlementaire qui se pencha sur le dossier olympique en janvier 1975. Ministre responsable des Jeux après la prise en main de l'organisation par le gouvernement provincial en novembre 1975.

Guay, Michel: Fonctionnaire du COJO. Protégé de Simon Saint-Pierre auquel il succéda comme directeur général de la construction et de la technologie et plus tard comme vice-président.

Jackson, Charles John (Jack): L'un des co-fondateurs de Bromont et membre de la bande de Bromont; président de Mussens Equipment Ltd., qui fut gratifiée de nombreux contrats olympiques.

Josephson, Marvin: Consultant newyorkais dont les services furent retenus par Paul Desrochers pour négocier la vente des droits de télédiffusion.

Killanin, Lord: Président du Comité international olympique (1972-   ). Critiqua sévèrement l'organisation des Jeux de Montréal.

Lalonde, Fernand: Député libéral; à partir de 1975, membre du cabinet. Membre du C.C.J.O., il contribua à la nomination de Lalonde et Valois à l'administration du projet olympique.

Lalonde, Valois, Lamarre, Valois & Associés: Société d'ingénieurs consultants engagée pour administrer le projet à la demande du gouvernement provincial en 1974. Responsable des estimations de coûts. Connue sous le nom de Lalonde et Valois ou Lavalin.

Lamarre, Bernard: Président de Lalonde et Valois.

Lavalin: Cf. Lalonde et Valois.

Leduc, Paul: Ex-secrétaire aux rendez-vous dans le cabinet du maire Jean Drapeau. Collabora au projet olympique à l'origine, mais tomba bientôt en disgrâce.

Legault, Guy: Chef du service d'urbanisme de la ville de Montréal, qui fut pratiquement exclu de la planification olympique.

Lépine, René: Partenaire des Terrasses Zarolega

Loiselle, Jean: Fonctionnaire du COJO; à partir d'octobre 1975, conseiller spécial de Roger Rousseau et l'éminence grise du COJO. Protégé du gouvernement provincial. Biographe officiel de Paul Desrochers, avec Louis Chantigny.

Marchais, Georges: Homme d'affaires français et agent plus ou moins officiel de Montréal à Paris. Organisa l'appui français à la candidature de Montréal auprès du Comité international olympique.

Minangoy, André: Architecte français, auteur du complexe de la Baie des Anges, sur la Côte d'azur, qui servit de modèle au village olympique.

Niding, Gérard: Président du comité exécutif de Montréal et bras droit du maire Jean Drapeau. Participa aux discussions du Club Canadien. Membre de la bande de Bromont.

ORTO: Cf. Organisation de la radio et de la télévision olympique.

Organisation de la radio et de la télévision olympique: Filiale de la Société Radio-Canada en charge de la radiotélédiffusion des Jeux Olympiques et de l'alimentation des réseaux étrangers.

Phaneuf, Claude: Ingénieur du service des travaux publics de la ville de Montréal, favori de Jean Drapeau. Membre du comité qui visa les plans du stade. Supervisa la construction du vélodrome.

Radford, Howard: Dirigeant de l'Association olympique canadienne qui fonda le COJO avec Jean Drapeau.

Rassemblement des citoyens de Montréal: Parti politique municipal qui forme l'Opposition au conseil de ville depuis l'élection d'octobre 1974. Adversaire des méthodes du maire Jean Drapeau et critique des Jeux.

R.C.M.: Cf. Rassemblement des citoyens de Montréal.

Régie des installations olympiques: Organisme créé à la suite de la prise en main de l'organisation des Jeux par la province en novembre 1975. En charge des travaux de construction du chantier olympique.

R.I.O.: Cf. Régie des installations olympiques.

Robert, Paul-Émile: Conseiller du Parti civique qui vota contre Jean Drapeau sur la question du projet de construction du village olympique au parc Viau. Fut expulsé du Parti et du conseil à cause de son indépendance et devint critique de Jean Drapeau.

Robinson, Gérald: Partenaire des Terrasses Zarolega.

Rouleau, Claude: Sous-ministre des Transports du Québec. Membre du C.C.J.O. et plus tard du Comité de décision opérationnelle. Après la prise en main des Jeux en novembre 1975 par le gouvernement provincial, devint le délégué de la Régie des installations olympiques en charge des travaux de construction.

Rousseau, Roger: Commissaire général du COJO et chef nominal des Jeux Olympiques.

Roy, Charles: Membre du cabinet de Jean Drapeau qui collabora au projet olympique à l'origine. Mort en 1975.

Ruot, Gérard: Spécialiste français du précontraint engagé par Charles Duranceau comme vice-président à la suggestion de Roger Taillibert après la démission de Baker Daigle.

Saint-Pierre, Simon: Directeur général de la construction et de la technologie au COJO et plus tard vice-président exécutif. L'homme le plus puissant du COJO jusqu'à l'arrivée de Jean Loiselle à la fin de 1975. Protégé de Jean Drapeau. Membre de la bande de Bromont. Blessé mortellement dans un accident d'équitation à Bromont. Mort en janvier 1976.

Schokbéton Québec Inc.: Entreprise chargée de la fabrication des éléments précontraints du stade olympique. Virtuellement municipalisée par la ville de Montréal à la faveur d'un contrat inusité.

Snyder, Gerry: Conseiller de la ville de Montréal, vice-président du comité exécutif et le collaborateur le plus écouté de Jean Drapeau à l'origine du projet. Plus tard membre du comité exécutif du COJO et chef du service des revenus.

Sogena Inc.: Société de gestion fondée par Marc Carrière. Roland Desourdy et Paul Desrochers y jouèrent aussi un rôle important.

Taillibert, Roger: Architecte français, engagé par la ville de Montréal à titre de consultant mais qui fut en réalité l'auteur des plans du stade olympique et du vélodrome; grand maître du chantier olympique et conseiller de Jean Drapeau sur toute chose olympique.

Terrasses Zaroléga: Société montréalaise chargée de la construction du village olympique. Faillit s'emparer d'un projet de $90 millions avec une mise de fonds de moins de $2 millions avant l'expropriation du village par le gouvernement provincial en avril 1976.

Trudeau, Pierre-Elliott: Premier ministre du Canada. Adversaire du projet olympique auquel il refusa toute contribution directe du gouvernement fédéral.

Vézina, François: Ingénieur consultant chargé des travaux de génie au vélodrome. Quitta à la suite d'un désaccord avec Jean Drapeau et Roger Taillibert.

Worrall, James: Représentant du Canada au Comité international olympique. Fut nommé à la direction du COJO sur l'insistance du C.I.O.

Zalloni, François: Membre du personnel de Jean Drapeau qui collabora au stade préliminaire du projet olympique.

Zappia, Joseph. Partenaire des Terrasses Zaroléga, constructeur du village olympique. Posa sa candidature à la direction du Parti progressiste-conservateur après que la police eut commencé à faire enquête sur le dossier du village olympique. Obtint d'autres contrats olympiques de moindre importance.

Zaroléga: Cf. Terrasses Zaroléga.